Grandi Bestsellers

MARGARET MAZZANTINI

MARE AL MATTINO

OSCAR MONDADORI

© 2015 Mondadori Libri S.p.A., Milano

I edizione Grandi Bestsellers maggio 2015

ISBN 978-88-04-65793-4

Questo volume è stato stampato
presso ELCOGRAF S.p.A.
Stabilimento - Cles (TN)
Stampato in Italia. Printed in Italy

www.librimondadori.it

Mare al mattino

A te con Dhaki
sul coche pequeño

Farid e la gazzella

Farid non ha mai visto il mare, non c'è mai entrato dentro.

Lo ha immaginato tante volte. Punteggiato di stelle come il mantello di un pascià. Azzurro come il muro azzurro della città morta.

Ha cercato le conchiglie fossili sepolte milioni di anni fa, quando il mare entrava nel deserto. Ha rincorso i pesci lucertola che nuotano sotto la sabbia. Ha visto il lago salato e quello amaro e i dromedari color argento avanzare come logore navi di pirati. Abita in una delle ultime oasi del Sahara.

I suoi antenati appartenevano a una tribù di beduini nomadi. Si fermavano negli uadi, i letti dei fiumi coperti di vegetazione, montavano le tende. Le capre pascolavano, le mogli cucinavano sulle pietre roventi. Non avevano mai lasciato il deserto. C'era una certa diffidenza verso la gente della costa, mercanti, corsari. Il deserto era la loro casa, aperta, illimitata. Il loro mare di sabbia. Macchiato dalle dune come il manto d'un giaguaro. Non possedevano nulla. Solo impronte di passi che la sabbia ricopriva. Il sole muoveva le ombre. Erano abituati a resistere alla sete, ad essiccarsi come datteri, senza morire. Un dromedario apriva loro la strada, una lunga ombra storta. Scomparivano nelle dune.

Siamo invisibili al mondo, ma non a Dio.

Si spostavano con questo pensiero nel cuore.

D'inverno il vento del nord che attraversava l'oceano di roccia stecchiva i barracani di lana sui corpi, la pelle si aggrappava alle ossa dissanguata come quella di capra sui tamburi. Antichi malefici cadevano dal cielo. Le faglie di sabbia erano lame, toccare il deserto significava ferirsi.

I vecchi venivano sepolti lì dove morivano. Lasciati al silenzio della sabbia. I beduini ripartivano, frange di stoffe bianco e indaco.

In primavera nuove dune nascevano, rosate e pallide. Vergini di sabbia.

Il ghibli infuocato si avvicinava insieme al gemito rauco di uno sciacallo. Piccoli riccioli di vento come spiriti in viaggio pizzicavano la sabbia qua e là. Poi raffiche radenti, affilate come scimitarre. Un esercito resuscitato. In un attimo il deserto si sollevava e divorava il cielo. E non c'era più confine con l'aldilà. I beduini si piegavano sotto il peso della tempesta grigia, si proteggevano contro il corpo di animali caduti in ginocchio, come sotto la coltre di un'antica condanna.

Poi si erano fermati. Avevano costruito una muraglia di creta, e un pascolo chiuso. C'erano solchi di ruote sulla sabbia.

Ogni tanto una carovana passava da quelle parti. Erano sulla rotta dei mercanti che dall'Africa nera tagliavano il deserto verso il mare. Portavano avorio, resine, pietre preziose, uomini legati da vendere come schiavi nei porti della Cirenaica e della Tripolitania.

I mercanti si rifocillavano nell'oasi, mangiavano, bevevano. Era nata una città. Muri di argilla essiccata simili a corda intrecciata, tetti di palme. Le donne vivevano in alto, separate dagli uomini, attraversavano i tetti scalze. Camminavano fino al pozzo con anfore di terracotta sul capo. Mescolavano il couscous con le interiora di pecora, la farina bollita. Pregavano sulle tombe dei marabutti. Al tramonto danzavano sui tetti al suono del nay, muovendo i ventri come serpi assonnate. In basso gli uomini impastavano mattoni, facevano scambi, giocavano a dadi persiani fumando narghilè.

Ora quella città non c'è più. Resta un disegno, un santuario mangiato dal vento di sabbia. Accanto è sorta la città nuova voluta dal Colonnello, fatta da architetti stranieri dell'est. Costruzioni di cemento, antenne.

Disseminate lungo la strada ci sono grandi effigi del rais, vestito da deserto, da musulmano, da ufficiale. Certe volte è imperioso e serio, certe volte sorride con le braccia aperte.

La gente è seduta su bidoni di benzina vuoti,

bambini ossuti, vecchi che succhiano radici per rinfrescarsi la bocca. I cavi della luce camminano flosci da un edificio all'altro. Il ghibli rovente trascina sacchetti di plastica e immondizie lasciate dai turisti del deserto.

Non c'è lavoro. Solo bibite zuccherate e capre. Datteri da inscatolare per l'esportazione.

Molti giovani se ne vanno, raggiungono le zone petrolifere, i grandi blocchi neri. Le fiamme perenni del deserto.

Non è una vera città, è un agglomerato di vite.

Farid abita nella parte vecchia, in una di quelle case basse con le porte tutte intorno alla stessa corte, un giardino selvatico e un cancello sempre aperto. Va a scuola a piedi. Corre con le sue gambe magre che si spellano sempre come canne. Jamila, sua madre, gli incarta qualche bastoncino di sesamo per la merenda.

Al ritorno gioca insieme ai suoi amici con un carretto fatto di lamiera che trascina barattoli, oppure a pallone. Si rotola come un bacherozzo nella polvere rossa. Ruba banane piccole e grappoli di datteri neri. Si arrampica con una corda fino in alto, nel cuore di quelle piante piene d'ombra.

Ha un amuleto al collo. Tutti i bambini ce l'hanno. Un piccolo sacchetto di cuoio con qualche perlina, qualche ciuffo di bestia.

Gli sguardi cattivi guarderanno l'amuleto e tu sarai in salvo, gli ha spiegato sua madre.

Omar, suo padre, è un tecnico, installa le antenne delle tv. Aspetta il segnale. Sorride alle donne che non vogliono perdersi la puntata della telenovela egiziana e lo trattano come un salvatore di sogni. Jamila è gelosa di quelle stupide donne. Lei ha studiato canto. Ma il marito non vuole che si esibisca durante i matrimoni o le feste pubbliche o tanto meno per i turisti. Così Jamila canta solo per Farid, lui è il suo unico spettatore in quelle stanze di tende e tappeti, profumate di artemisia e erbe aromatiche, sotto quel tetto a uovo di calce.

Farid è innamorato di sua madre, delle sue braccia che fanno vento come foglie di palma, del suo alito quando canta uno di quei malouf pieni di amore e lacrime e il suo cuore si gonfia così tanto che deve tenerselo stretto con tutte e due le mani per non farlo cadere in terra, nella bacinella di ferro dell'acqua piovana piena di ruggine e sempre asciutta.

Sua madre è giovane, sembra una sorella. Ogni tanto giocano agli sposi, Farid le pettina i capelli, le aggiusta il velo.

La fronte di Jamila è un grande sasso rotondo, gli occhi sono orlati come quelli degli uccelli, le labbra sembrano due datteri dolci e maturi.

È un tramonto senza vento. Il cielo è color pesca.

Farid si siede contro il muro del suo giardino. Si guarda i piedi, le dita luride che spuntano dai sandali.

C'è una colatura di muschio giovane che s'infila in una crepa, Farid si avvicina con il naso a quell'odore fresco. Solo allora si accorge che un animale gli respira accanto. È così vicino a lui che non può muoversi, il cuore gli salta negli occhi.

Ha paura che sia uno uaddan, la pecora asino dalle grandi corna protagonista di tante leggende. Suo nonno gli ha detto che appare all'orizzonte tra le dune come un miraggio cattivo. Ormai sono molti anni che nessuno vede uno uaddan, però nonno Mussa giura che si nasconde ancora nello uadi nero di croste arenarie dove nessuna vita resiste ed è molto arrabbiato per tutte quelle jeep che rovinano il deserto, lo spostano con le loro ruote.

Ma l'animale non ha ciuffi bianchi, né corna lunari, e non digrigna i denti. Ha il manto color sabbia e corna così sottili che sembrano arbusti. Lo guarda, forse ha fame.

Farid capisce che è una gazzella. Una giovane gazzella. Non scappa. I suoi occhi, spalancati e così vicini, sono limpidi e calmi. Il manto è scosso da una vertigine. Forse trema anche lei. Ma anche lei è troppo curiosa di quell'incontro per indietreggiare. Farid lentamente le avvicina un ramo, la gazzella apre una bocca di denti piatti e bianchi, strappa qualche pistacchio fresco. Se ne va arretrando su se stessa, senza smettere di guardarlo. Poi di colpo si volta, salta il muretto di fango e corre sollevando sabbia, oltre l'orizzonte delle dune.

Il giorno dopo a scuola, Farid riempie pagine di gazzelle, le disegna storte, a matita, le colora spingendo il dito nelle tempere ad acqua.

La televisione manda in loop il film prodotto dal rais con Anthony Quinn che interpreta il leggendario Omar al-Mukhtar. Il guerrigliero beduino che ha combattuto come un leone contro gli invasori italiani. Farid è fiero, il cuore gli batte nelle ossa. Suo padre si chiama Omar, come l'eroe del deserto.

Gioca alla guerra con i suoi amici, cerbottane fatte di canne che sputano pistacchi, sassi rossi lasciati dalle tempeste.

Sei morto! Sei morto!

Litigano, perché nessuno ha voglia di buttarsi in terra e finire il gioco.

Farid sa che da qualche parte è scoppiata la guerra.

I suoi genitori bisbigliano fino a notte fonda e i suoi amici dicono che sono arrivate armi dal confine, le hanno viste scaricare dalle jeep di notte. Anche loro vorrebbero avere un kalašnikov, un razzo.

Sparano qualche bengala accanto al vecchio mendicante sordo.

Farid salta, si diverte come un pazzo.

Hisham, il più giovane dei suoi zii, studente universitario a Bengasi, si è unito all'esercito dei ribelli.

Nonno Mussa che fa la guida ai turisti fino alla Montagna Maledetta e sa riconoscere le impronte dei serpenti, e decifrare i disegni rupestri, dice che Hisham è stupido, ha letto troppi libri.

Dice che il *qa'id* ha lastricato la Libia di asfalto e cemento, l'ha riempita di tuareg neri del Mali, ha inciso le parole di quel suo ridicolo libro verde su ogni muro, ha incontrato finanzieri e politici in giro per il mondo circondato da belle donne come un attore in vacanza. Però è un beduino come loro, un uomo del deserto. Ha difeso la loro razza perseguitata dalla storia, respinta ai margini delle oasi. Meglio lui che i Fratelli Musulmani.

Hisham ha detto *meglio la libertà*.

Omar sale sul tetto, sistema la parabola satellitare. Prendono un canale non criptato dal regime. Le città della costa sono in fiamme. Ora sanno che il profeta dell'Africa Unita spara sulla sua Jamahiriyya. Ormai è solo nel castello del potere. Quando vede Misurata distrutta, nonno Mussa tira giù dal muro la stampa del *qa'id*, l'arrotola e la butta sotto il letto.

È arrivato il telegramma. Hisham ha perso la vista. Una scheggia in faccia. Non leggerà più i libri con i suoi occhi. Tutti piangono, tutti pregano. Hisham è all'ospedale di Bengasi. Almeno è vivo, non è nei sacchi verdi come il figlio di Fatima.

Per strada la gente graffia via dai muri le parole del rais, le coprono di scritte che inneggiano alla libertà e vignette satiriche sul grande topo ricoperto di medaglie false. La statua davanti alla medina è decapitata dalle pietre.

È notte, c'è solo una piccola luce nuda che non smette di vibrare come se avesse la tosse. Omar svuota un sacchetto del mercato sul tavolo, dentro ci sono soldi. I dinari dei risparmi di Omar, gli euro e i dollari che nonno Mussa ha guadagnato con i turisti del deserto. Omar conta i soldi, poi toglie una pietra e li nasconde nel muro. Parla con Jamila, chiude le mani intorno alle sue mani strette. Farid non dorme, guarda quel nodo di mani nel buio che tremano come una noce di cocco sotto la pioggia.

Omar dice che devono andarsene. Che avrebbero dovuto farlo da un pezzo. Nel deserto non c'è futuro. E adesso c'è la guerra. Ha paura per il bambino.

Farid pensa che suo padre si sbaglia ad aver paura per lui, lui è pronto per la guerra come zio Hisham. Ha provato con le mani sugli occhi, a vedere come si vive da ciechi. Si sbatte un po', ma non importa.

Farid si siede contro il muro del suo giardino.

La gazzella arriva sempre senza rumore, fa un salto leggero, ed eccola. Con i suoi occhi bistrati, la pupilla di diamante, le sue orecchie più chiare e folte dentro, le sue piccole corna di osso attorcigliato. Ormai sono amici. Farid non ne ha parlato con nessuno. Ma c'è sempre il sospetto di qualche intruso. Anche lui ha il terrore che possano catturarla. È giovane e sprovveduta, corre dei rischi. Si avvicina troppo, entra nella zona abitata. Si avventura con un po' di nervosismo sotto il manto, i muscoli vibranti. Pronta a saltare via, a non restare. Devono riabituarsi ad avere fiducia. Appartengono allo stesso deserto, ma a razze diverse. Farid si schiaccia contro il muro, aspetta che la gazzella respiri dalle narici scure per respirare con lei. Muove il muso, vuole giocare. Una volta si siede sulle zampe posteriori, sembra sua madre al tramonto. La stessa posa regale.

È una mattina di primavera. Omar fa il suo lavoro sul tetto. Unisce i cavi elettrici, aspetta la scintilla. Il segnale che la telenovela è garantita. La corrente in questi giorni viene e va, a singhiozzo. Le donne non vogliono pensare alla guerra, vogliono piangere d'amore. Vogliono scoprire se l'uomo buono saprà che il figlio è il suo, e se l'uomo cattivo cadrà giù dalla scogliera con la macchina nera.

Farid ha visto Omar indietreggiare, cercare un appiglio nel vuoto, cadere, rialzarsi. Altri uomini sono saliti sui tetti, tute mimetiche e caschi gialli come operai, però sparano. Mirano in basso, sulla gente del mercato che scappa e urla. Sono le truppe lealiste, molti sono stranieri, *murtaziqa*, mercenari assoldati da altre guerre subsahariane. Mentre sparano urlano come nei film. Un miliziano seminudo si è accucciato per fare un bisogno. Forse ha bevuto troppo succo di tamarindo, o forse ha paura. Adesso spara così, con i pantaloni abbassati.

Omar è rimasto a guardarli. Ha provato a parlare, a fermarli. Gli hanno infilato un fucile in gola, *o vieni con noi a combattere o sei già morto*. Farid ha visto suo padre scivolare verso la grondaia. Non aveva una scarpa, si vedeva uno dei suoi calzini beige, quelli che Jamila rammendava la sera. Gli hanno messo una pistola tra le mani. Omar ha sparato in alto, verso il cielo, verso gli uccelli che non c'erano. Poi ha lasciato cadere la pistola. L'uomo senza pantaloni ha spinto il padre giù dal tetto.

Farid ha visto i pick-up con le mitragliatrici, i bazooka, le facce sporche e allucinate, le bandiere verdi intorno alle teste. Hanno ucciso anche le bestie per fargli paura.

La gazzella per fortuna quel giorno non c'era. Si avvicinava solo nel silenzio.

Jamila ha atteso la notte. Quella notte che non è mai così buia. Il plenilunio illuminava le colline di sabbia e i palmeti, i palazzi e le case d'argilla con le loro punte aguzze contro i malefici.

Ha nascosto Farid nella botola delle risorse, tra le foglie di tè e la carne secca appesa. Intorno c'erano i lampi degli incendi, gli spari. Odore di benzina bruciata nella sabbia.

Ha trascinato il corpo del marito nella corte. Lo ha lavato con l'acqua del pozzo.

Omar ha molti capelli, bagnati sembrano grappoli d'uva. Jamila gli pulisce le orecchie, gli afferra quei capelli: *è una fortuna, amore mio, gli angeli faranno prima a prenderti, a sollevarti in cielo.* È una vecchia credenza del deserto, i morti innocenti sono trascinati in cielo dai capelli.

Nei giardini accanto, altre donne pregano e piangono. Alcune famiglie sono state prese, usate come scudi umani.

All'alba il corpo di Omar non c'è più.

Jamila bisbiglia attraverso i muri di creta. Parla con gli antenati, chiede loro un consiglio per il viaggio.

Farid è uscito dalla botola. Sente quello strano odore. Quello dell'unguento per i morti, guarda la terra smossa in giardino. L'altalena rotta che suo padre non ha fatto in tempo ad aggiustare.

Raccoglie le sue cose, un quaderno, il golf rosso per l'inverno.

Guarda la fotografia di suo nonno con il turbante bianco su un dromedario davanti all'oasi, gli occhiali da vista e i sandali con le strisce sui piedi magri. Scrive il corano sulle tavole, conosce le favole antiche, e le grandi battaglie, dei romani, dei turchi. Gli ha raccontato della Fortezza Rossa e dei pirati. È zoppo perché è saltato su una mina lasciata dalla guerra contro il Ciad. Ogni tanto lo porta con sé nel deserto. Farid ha visto i mangiatori di vermi, i disegni rupestri di elefanti e antilopi, di semplici mani stampate. Una volta si sono persi. Nonno Mussa ha detto che i veri beduini muoiono nel deserto, avvolti da un vortice di sabbia, che non si può sperare di meglio. Che Dio li aveva fatti perdere, per ricongiungerli al loro destino. *Il deserto è come una bella donna, non si rivela mai, appare e scompare. Ha un volto che cambia forma e colore, vulcanico o bianco di sale. Un orizzonte invisibile, che danza e si sposta come le sue dune.*

Farid ha visto Jamila rimuovere la pietra, prendere i soldi e legarseli con una benda intorno al corpo. Ha sentito il rumore dei suoi denti che tremavano.

Aveva preparato un piccolo bagaglio dentro una sacca Adidas.

Dalle grate di legno Farid ha cercato la gazzella. Voleva salutarla, sentire l'odore del suo respiro nel recinto di fango del giardino.

Si sono mossi all'alba. Jamila ha baciato la lastra di pietra davanti alla porta. Farid ha pensato al profumo di certi pomeriggi, quando sua madre si toglieva il velo e danzava scalza, in reggiseno. Il ventre piccolo, lucido di olio di argan, si muoveva come la terra. Una crosta scossa dalla vita. Era quello il centro della casa. La pietra della salvezza.

Jamila ha preso la chiave, l'ha strappata dalla porta, se l'è messa addosso. Corrono tra le case e i blocchi di fumo, scivolano come topi. La guerra è nell'isolato accanto, i proiettili traccianti bruciano il cielo. La chiave cade nella polvere. La madre non si china a raccoglierla.
– Non importa Farid, non c'è tempo.
– E come farà papà a tornare?
– Chiamerà un fabbro.
Jamila non gli ha detto che Omar è un angelo calato nel deserto.

Farid si guarda intorno. Che fine hanno fatto i suoi amici, la pista dell'autoscontro, sotto la tenda, il chiosco del ghiaccio e quello degli occhiali da sole?
La porta della città adesso sembra una fiera. Tutti hanno gli occhi degli animali. Sudano dai capelli, dal naso. Tutti urlano e cercano qualcosa. Oltre la porta c'è il deserto. Si incolonnano con gli altri, gen-

te con materassi arrotolati sulla schiena, valigie che non riescono ad entrare nei pullman.

Molti cercano salvezza nei campi profughi oltre il confine. Jamila sa che quello è un tragitto pericoloso, i miliziani lealisti controllano chilometri di filo spinato, sparano sui fuggiaschi.

Loro andranno verso il mare. Su un camion carico di pacchi e negri stretti come schiavi, che quasi non si ferma a raccoglierli. Jamila urla, lo insegue. Salgono al volo: prima Farid, come una scimmia, poi lei.

Farid vede una jeep con le ruote in fiamme travolgere un vecchio. È la prima immagine del deserto.

Non riesce a tenere gli occhi aperti, sua madre gli ha messo il suo velo in faccia per difenderlo dalla sabbia. Le ruote del camion scendono e si arrampicano sulle dune.

Chilometri di silenzio, solo il rauco motore. È una scena di guerra, di ogni guerra. Umanità deportata come bestiame. Non ci si ferma a pisciare.

Tutti hanno gli occhi chiusi, le teste basse, bianche di sabbia.

L'orizzonte è vischioso. Il ghibli scuote la superficie sporca di residui. Carcasse di auto bruciate, immondizia che si agita.

Nonno Mussa gli ha detto che ogni cosa che si trova nel deserto appartiene al deserto e ha un senso perché potrà essere riutilizzata per un altro scopo, per un'altra vita.

Dalla sabbia affiorano stracci colorati. Una camicia, un paio di blue-jeans che sembrano vuoti, come panni stecchiti stesi per terra. Più avanti una scarpa.

Poi le teste mangiate dal caldo, affossate nella sabbia. I capelli e le mandibole. Le mani come carrube essiccate.

Sul camion tutti urlano, poi tutti tacciono. Jamila si sporge e vomita. Farid ha il velo sugli occhi, vede quel cimitero scoperto attraverso quel pallido filtro.

Sono tutti negri. Morti già da qualche mese. Prima della guerra. I vestiti sono intatti, nessun proiettile li ha trapassati.

Tutti sanno di cosa si tratta, sono i profughi del Mali, del Ghana, del Niger, abbandonati nel deserto dai carovanieri dopo gli accordi europei del rais per bloccare i flussi migratori dei disperati.

Dio nel deserto è l'acqua e l'ombra.

C'è una bottiglia di plastica vuota accanto a una mano scarnata. L'ultimo gesto prima della morte.

Dov'è Dio in quel deserto?

Jamila ha sete. Sete. Cerca nella borsa, rovescia l'acqua in testa al figlio, gli strappa il velo dalla bocca. Lo disseta, lo stringe. *Bevi Farid, bevi.*

Sono rimasti loro due nel mondo.

La casa è un uovo di creta abbandonato alle spalle.

Poi gli arbusti, alcuni con qualche germoglio biancastro. Un cespuglio di alimo. L'aria è più mite, il ghibli ruggisce svogliato come un felino stanco che si ritira.

È la zona predesertica. Filari di viti. Muri a secco, sgretolati. Casolari abbandonati come quelli che si trovano nella campagna toscana. È uno dei vecchi villaggi rurali dei coloni italiani. Un campo di ulivi storti. Archi aperti nel nulla.

La sabbia è entrata nel motore. Il camion si ferma. L'uomo che lo guida ha il volto coperto dei tuareg, occhi arrossati e anziani che urlano di scendere. Di colpo il boato di un'esplosione così vicina che taglia le grida, eppure il cielo è tranquillo. Uno stormo di uccelli messaggeri passa, compongono un disegno mobile. Il tuareg sta parlando al cellulare, sbraita in tamashek, Farid non capisce.

Il disco del sole è salito nel cielo. Sono due ore che aspettano. Farid e Jamila fanno un giro nella cittadella fantasma, cercano un po' di ristoro. C'è una piazza, c'è il vecchio municipio. S'infilano nella chiesa. Il tetto è crollato al centro, l'abside è sfregiata. Il pavimento è terra con qualche mattone. Scivolano contro il muro, si dividono il pane. Jamila prega. Non è una moschea ma non importa. È ombra dove la gente si è inginocchiata e ha parlato con la voce del silenzio.

Un negro si è tolto le scarpe. Uno dei due piedi è gonfio come un montone spellato. Viene dalla savana, cammina da giorni. Ha paura della cancrena, si lamenta. Un somalo si avvicina. Arrossa il coltello con l'accendino per incidere il piede del negro. Poi lo avvolge in una foglia. Come i datteri prima di essere chiusi nelle scatole per i turisti.

Hanno ripreso a camminare.

Il rombo di un motore, poi una moto da sabbia compare all'orizzonte.

Un uomo grasso, con una bottiglia di pepsi-cola stampata sulla maglietta sotto la scritta *ishrab pepsi*.

Farid guarda quella maglietta che fa venire sete di un altro mondo.

L'uomo prende in consegna il gruppo vacanze. Sarà lui a guidarli fino al mare.

Tutti camminano dietro la moto che pare un trattore lunare. Il negro trascina il suo piede bendato di verde. Qualcuno abbandona un materasso, una pentola troppo pesante. Procedono in un silenzio totale. Prima parlavano, adesso no. Solo il gemito della donna incinta. Anche se lei sembra più forte degli uomini. Nasconde il suo stato sotto gli strati neri, forse ha paura di essere scacciata indietro.

Una linea di scarafaggi attraversa le dune.

Lasciano il segno antico dei beduini erranti, una coda di orme che la sabbia spazzolerà. Sono tornati al loro destino. Orientarsi nel nulla.

Nonno Mussa non è voluto partire, è rimasto nell'orto con i piedi nella bacinella a guardare le aquile in perlustrazione a caccia di lucertoloni del deserto.

Jamila non è triste. Affonda, prende fiato davanti a un nuovo banco di sabbia. Farid adesso è sulle sue spalle, avvolto in un grembo di tela, come quando era piccolo.

Jamila è giovane, ha poco più di vent'anni. È una giovane vedova con il suo bambino. Il deserto è la loro conchiglia.

Farid ha un amuleto al collo.

L'orizzonte cambia, si macchia di verzure arse. Un muro di carrubi. Una lunga discesa costeggiata di oleandri fioriti.

È un odore che Farid non ha mai sentito, selvatico e profondo.

È quello l'odore del mare, delle sue distese lucide, dei suoi abissi blu?

Tutti adesso corrono, la testa bassa tra pale spinose di fichi d'india. Farid scende dal dorso di Jamila, lascia la piccola cammella. Corre, rotola tra la sabbia e le tamerici. È la prima volta che lascia il deserto.

Una mano raccoglie i soldi sulla spiaggia. Un altro uomo con il turbante, ma vestito da città. Una giacca chiara, sudata sul collo, sulle spalle. L'uomo grasso urla. La bottiglia di pepsi-cola si agita sul suo ventre molle. Devono sbrigarsi, sono allo scoperto. Anche se la situazione è sotto controllo. I pretoriani lealisti hanno l'ordine di lasciar partire i barconi. Adesso il rais vuole che il Mediterraneo si riempia di miserabili per far tremare l'Europa. È l'arma migliore che ha. La carne marcia dei poveri. È dinamite. Fa scoppiare i centri d'accoglienza, le ipocrisie dei governanti.

Adesso sulla spiaggia tutti protestano.

Guardano sconfitti quel grande guscio arrugginito fermo sull'acqua. Sembra un pullman rovesciato, non un motoscafo.

Tutti urlano, scuotono la testa.

La barca è troppo cara, troppo vecchia. La barca fa schifo.

L'uomo vestito elegante dice *cosa vi aspettavate, una crociera?* Urla che per lui l'affare finisce lì. Che

imbarcherà un altro carico di fuggiaschi meno stupidi di loro. Scrolla il braccio, dice che devono andarsene, fare largo, ritirarsi nei cespugli, nel deserto.
Sputa per terra, dice che non ha tempo da perdere con i topi.

Butta i soldi sulla sabbia. Un ragazzo li raccoglie
ma l'uomo non vuole più saperne di loro, sale sulla
jeep. Il ragazzo lo insegue, nel finestrino gli chiede
per favore, per Allah. Ci sono molte donne, c'è anche
sua moglie che è incinta. Chiede all'uomo se lui ha
dei figli. L'uomo gli dà un colpo con lo sportello.
Scende. Mette i soldi nel portafogli. Adesso nessuno
fiata più. Il trafficante di uomini cammina sulla sabbia con le sue scarpe lucide. Apre il bagagliaio della
jeep, scaraventa sulla sabbia confezioni d'acqua nella
plastica. *Ho pensato anche alla vostra sete.* Tutti lo ringraziano. Jamila raccoglie una bottiglia di quell'acqua bollente come tè, la infila nella sacca.

Farid guarda il mare. La prima volta in vita sua.
Lo tocca con i piedi, lo raccoglie con le mani. Lo beve
e lo sputa.

Pensa che è grande ma non come il deserto. Finisce dove comincia il cielo, dopo quella striscia azzurra, orizzontale.

Credeva di poterci camminare sopra come le navi
dei pirati. Invece è bagnato e succhia da sotto. Le
onde vanno avanti e indietro, come i panni stesi di
sua madre, se lui scappa gli vengono appresso.

La donna incinta si solleva i vestiti per entrare
nell'acqua, ma poi finisce per bagnarsi fino alla gola.

Apre una bocca magra piena di denti troppo grandi, sembra un dromedario spaventato dal fuoco.

Tutti hanno cominciato a salire, a spingersi, ad arrampicarsi.

La barca è scesa fino al pelo dell'acqua.

Due ragazzi del Malawi, più svegli degli altri, camminano con i piedi nudi come marinai, controllano l'interno dello scafo. Aprono le taniche tenute dagli elastici a poppa, ci appiccicano il naso. Vogliono verificare che siano davvero piene di gasolio. L'uomo grasso urla che sono dei malfidati figli di puttana *ifriqiyyun*, schiavi scappati dai ghetti delle oasi. Ha impostato il gps sulla rotta ed è sceso con un salto. Si è bagnato fino alla cinta. Dà un colpo allo scafo. *Buona fortuna figli di puttana.*

Farid guarda il mare, limpido e compatto come ceramica azzurra. Cerca i pesci, i loro dorsi, i primi pezzi della vita nuova. Jamila lo bacia, gioca con i suoi capelli. *Quanto durerà il viaggio?*

Poco, il tempo di una ninna nanna.

Jamila ha iniziato a cantare con la sua gola da usignolo, fischia, simula il soffio della zukra. La sua voce cala fino al mare. Poi dorme. La testa magra di una gazzella, di una sorella maggiore. Farid guarda indietro, trova una fessura attraverso i corpi. La costa non c'è più. Solo mare che sale e scende. Si ricorda della sua casa, dell'altalena, delle maioliche con i disegni color ruggine e smeraldo intorno al pozzo. Pensa alla gazzella. Andava e veniva, come le pareva. Sempre al tramonto. Ormai mangiava dalla sua mano. Lui strappava i datteri, i pistacchi, e glieli serviva sul palmo aperto come su un piatto. Pensa al rumore, poi all'odore della sua bocca. Aveva delle macule all'interno, sulla lingua. Odorava di uadi, di acqua appena passata. Il miglior muso della terra, a parte quello di sua madre. Quel giorno l'aveva stretta a sé. Non sapeva che non l'avrebbe rivista. Il suo manto color cipria bruciata s'illuminava al calar del sole. Il pelo odorava di tappeto. Lo stesso odore che Farid sentiva nel deserto, quando montavano la tenda con nonno Mussa e dormivano sul tappeto delle preghiere.

Non gli importa di lasciare il passato. È un bambino, è troppo piccolo per avere il senso reale del tempo. È tutto insieme, nella stessa mano, ciò che conosce e ciò che lo aspetta.

Prima è eccitato, poi è spaventato, poi è stanco e non è più niente. Ha vomitato, adesso non ha più nulla da buttare fuori. Il sole li segue come una lingua affamata, goccia in testa caldo asfissiante, sudore.

Il mare è monotono, non ha nessuna novità. Guardarlo è uno sbaglio, è come guardare un animale senza testa, con tante groppe che si agitano. Carne blu che schiuma da una bocca sommersa. Farid cerca quella testa che non s'affaccia, arriva alla superficie poi scompare.

Si chiede qual è la faccia del mare.

Uno dei ragazzi somali ha sparato alle onde poco fa, per provare uno dei razzi luminosi. Non funzionano, sono marci come la barca. Il ragazzo ha bevuto troppo con i suoi amici, si sono bruciati lo stomaco e il cervello. Adesso stanno facendo a pugni.

Tutti sono pallidi, grigi come corde. Tutti hanno vomitato. Il vomito corre in terra sul legno macero appresso al rullio del mare.

Jamila dice al figlio che deve fissare un punto fermo all'orizzonte per salvarsi dal male del mare.

Farid cerca in fondo nella tasca del cielo dove il sole scioglie l'orizzonte.

In faccia gli arriva il fumo nero del gasolio. Sua madre lo tiene stretto. Lui cerca quel contatto, quell'odore. Ma Jamila ormai è impregnata di gasolio. È quello l'odore del viaggio, della speranza.

Farid ha male agli occhi, alle gambe. Il mare adesso è di traverso, la barca pende tutta da una parte. Non possono spostarsi, quello è il posto assegnato. Un buco tra i corpi. Una bambina si lamenta, due uomini urlano in un dialetto che Farid non conosce. Si soffoca, il sole fa le croste sulla bocca. Sua madre raziona l'acqua. Gli dà sorsi sempre più piccoli che non bastano nemmeno a pulire la lingua. Fanno i loro bisogni in un secchio comune che poi viene svuotato in mare. Le bestie? Qualcosa oltre. Le bestie non hanno così paura di morire. Il mare è un mondo a sé. Un mondo nel mondo. Con le sue leggi, la sua forza. Si allarga, si solleva. La barca sembra la corazza di uno scarabeo morto. Quelli che Farid trovava nella sabbia fina, stecchiti dal ghibli. Farid ha il sole dentro la testa. Non se ne va neanche quando chiude gli occhi. Pensa alle foglie dei capperi selvatici. Quelle che sua madre masticava e gli metteva sulla fronte per guarirlo. Pensa al venditore ambulante che sbuccia fichi d'india con quel gesto veloce, magico. Jamila gli sbriciola in bocca un bastoncino di sesamo, ma la gola è un muro di sabbia.

Il mare è una montagna che sale. Farid ha paura di quelle dune d'acqua. Il motore fatica come un cammello morente.

Di notte fa freddo, la temperatura scende con l'acqua, il mare diventa carta nera. Esala un fumo che resta e bagna addosso. Farid trema. La madre lo ha avvolto nel suo velo umido, scivoloso come una buccia. Farid ha freddo lì sotto. Il vento è cattivo e frusta. Farid si stringe alle ossa di sua madre, cerca il caldo del seno. Anche lei trema, sembra uno di quei cesti con i serpenti dentro che si agitano. Da un pezzo non lo faceva più avvicinare al suo seno, *sei grande ormai*. Adesso lo spinge lì, dove un po' di caldo del giorno è rimasto come nelle pietre. In fin dei conti è una fortuna stare così stretti, è una fortuna il vento e il mare. Farid dorme. Pensa alle grosse foglie di palma sotto cui si rifugiava quando attaccava a piovere. Un giorno ha sentito Aghib, il vecchio che cuce le scarpe berbere per i turisti sotto il sole, dire che tutto quello che succede da loro è colpa del petrolio, che se non ci fosse stato il mare nero sotto il deserto nessun dittatore avrebbe avuto voglia di dettare legge e nessuno straniero di venirli a difendere lanciando missili cruise. Il vecchio Aghib gli ha puntato contro quel dito duro bucacchiato dall'ago: *il petrolio è la merda del diavolo, non ti fidare di quello che sembra una fortuna. Perché è peggio di una trappola per scimmie. E sempre quello che per i ricchi è una fortuna, per i poveri è una disgrazia.*

Farid ha continuato a fidarsi della gazzella, del suo muso che arrivava fino alla porta di casa per mangiare gli avanzi.

È tutto buio e la luna se n'è andata. Il ragazzo che mette il gasolio nel motore si fa luce con l'accendino di plastica, traballa e impreca perché la fiamma si spegne con l'umido del mare. Le braccia della madre sono meno forti, sprofondano insieme alla barca, cedono come ruote nel deserto.

Farid aspetta l'alba. Aspetta l'Italia. Lì le donne camminano con il capo scoperto e la televisione ha infiniti canali. Scenderanno nelle luci, qualcuno li fotograferà. Gli daranno dei giocattoli, gli daranno la coca-cola e la pizza.

Rashid, il padre di nonno Mussa, ha già fatto quel viaggio, all'inizio del secolo quando gli italiani bruciarono i villaggi, scacciarono i beduini dalle oasi e li misero nei recinti, stretti come capre. Rashid era un ragazzo allegro, suonava la tabla e raccoglieva la resina dagli alberi della gomma, i suoi fratelli morirono nella deportazione, lui fu imbarcato e mandato al confino in certe isole chiamate Tremiti. Nessuno ebbe più notizie. Nessuno ha mai saputo della sua morte o della sua nuova vita.

Farid guarda il mare.

Nonno Mussa gli ha parlato del viaggio di suo padre.

Si era alzata una tempesta di sabbia, un vento di polvere grigia spazzava la costa, quasi che il deserto si ribellasse a quell'esodo crudele. I beduini salirono sulle navi con le loro tuniche sporche e i volti ossuti dopo mesi di fame, gli occhi addolorati e fissi di un gregge spinto nel vuoto.

Una volta Mussa adulto era arrivato fin lì con una Toyota di archeologi del deserto. Erano un gruppo di ragazzi di Bologna, avevano dormito insieme nei vecchi accampamenti tuareg, visitato le necropoli dei Garamanti e i bianchi labirinti di Ghadames.

Dal golfo della Sirte, Mussa aveva guardato il mare che si era ingoiato suo padre. Aveva pensato di imbarcarsi, di andarlo a cercare in Italia. Di presentarsi davanti a lui, alto ed elegante com'era, con i suoi occhiali di osso inglese, la sua jallabiya bianca. Sognava di raccogliere il vecchio padre Rashid sulle sue braccia e di riportarlo indietro su un dromedario, nel suo deserto.

La ruggine della nostalgia graffiava tra i denti come sabbia.

Ma tutto quell'azzurro lo spaventò. Sentì come una mano che dal collo lo tirava indietro. L'antico terrore del mare.

Però fece in tempo a vedere un gruppo di turiste seminude sulla spiaggia che mangiavano more da un cesto di foglie intrecciate e bevevano succo di lime.

Tornò indietro con quel racconto che negli anni si

fece sempre più ardito, le donne erano sempre più nude e invitanti, come vergini del paradiso.

Farid guarda il mare e pensa al paradiso.

Suo nonno gli ha detto che lassù le donne sono più belle, il cibo è più buono e tutti i colori sono più accesi, perché Allah è il pittore dell'alba.

Farid pensa alla fotografia di suo padre Omar, quella appesa nella sala da pranzo, ritoccata dal fotografo con i pennelli. Le labbra più rosse, le ciglia disegnate, lo sguardo più fondo.

Non somiglia per niente al leggendario Omar al-Mukhtar. Non ha idee politiche. È timido e debole di nervi.

Farid guarda il mare.

Le lacrime gli escono dagli occhi, camminano lente tra la peluria del viso sbiancata dal sale.

Color silenzio

Vito cammina sugli scogli, scende nelle insenature di sabbia. S'è lasciato il paese alle spalle, il rumore di una radio accesa, di una donna che urla in dialetto. Solo vento e onde che saltano alte contro le rocce come belve arrabbiate, mettono su una zampa, schiumano, poi si ritirano. A Vito piace il mare in tempesta. Da ragazzino gli saltava dentro, si lasciava *schiaffonare*. Sua madre Angelina sulla spiaggia si sgolava. La vedeva piccola, agitarsi come un saracino dei pupi. Era poca cosa lei e il suo vestito che sbatteva sulle gambe. Era più forte il mare. Prendere lo slancio, cavalcare l'onda veloce, scivolare come sul sapone e poi farsi ingoiare, picchiare sotto nella gola arrabbiata del vortice. Rotolava nel fondo sporco, smosso di sabbia e sassi grossi che stordivano. Il mare nel naso, nella pancia. L'onda lo succhiava indietro, metteva paura.

Ma ogni vera gioia ha una paura dentro.

Il costume pieno di sabbia, gli occhi feriti, rossi, i capelli come alghe. Erano i ricordi più belli. Diventare uno straccio che non pesava niente. Tremare di felicità e paura. Le labbra blu, le dita morte. Usciva per poco, di corsa. Si buttava nel caldo della sabbia, tremava e sbatteva come una triglia in agonia. Poi si tuffava di nuovo. Non pensava a niente. Più pesce che uomo, si sentiva. E se anche non fosse tornato, pazienza. Cosa lo aspettava sulla riva? Sua madre arrabbiata che fumava. Il sugo con i polipetti murati di sua nonna. E i compiti estivi, quello schifo lì. Perché non c'è niente di peggio che i libri e i quaderni, d'estate. E lui era sempre rimandato. Debiti eterni, si portava.

Una volta per venirlo a ripescare, Angelina s'era presa un riccio sotto il piede, s'era persa gli occhiali da sole. Quella volta l'aveva gonfiato. Trascinato sulla sabbia per i capelli, sbattuto come un polpo. Era la volta che lui l'aveva più odiata. Era la volta che aveva sentito che lei lo amava più di tutto. Quella notte l'aveva fatto dormire nel suo letto, nelle lenzuola bianche stropicciate insieme a lei, al suo odore, ai suoi movimenti. Era separata sua madre. Di notte si metteva davanti alla porta sotto la palma, fumava in piedi con un braccio sulla pancia e il pacchetto di sigarette nella mano. Parlava da sola, muoveva le labbra in silenzio. I capelli incollati sulla fronte, faceva facce strane. Sembrava una scimmia pronta a saltare.

Ora Vito è cresciuto. Abitano fuori Catania, tornano sull'isola solo d'estate e certe volte a pasqua. Sono gli ultimi giorni di vacanza, sua madre deve riprendere con la scuola. Vito con la scuola ha chiuso. È finita la mattanza delle versioni copiate, delle bugie. La sveglia alle sette con l'alito cattivo. Ha passato la maturità, a calci, a ripetizioni, ma l'ha passata. È stato anche bravo. È *risultato simpatico* alla commissione. Ha fatto una tesina sui tripolini, gli italiani di Tripoli scacciati da Gheddafi nel '70. È partito da quel macellaio del generale Graziani ed è arrivato fino a sua madre.

Ha parlato del mal d'Africa. Della nostalgia che diventa catrame. Del viaggio che hanno fatto insieme, indietro. In Libia.

È stata la liberazione totale. Il giorno dopo ha fatto una cacca grossa come non gli era mai uscita. Ha fatto la festa in discoteca e s'è baciato con una ragazza. Pazienza se poi lei gli ha detto che s'era sbagliata. Vito comunque ha conosciuto quella bocca, s'è ingrossato e ha tremato. Come nelle onde da bambino.

Vito guarda il mare, è scalzo. Ha piedi prensili, duri come quelli di un marinaio. In fondo all'estate gli succede sempre così. I piedi sono pronti per restare, per vivere nudi sugli scogli e sui sassi.

È stata un'estate spaparanzata, vacante davvero. Ha dormito fino a tardi, ha fatto pochi bagni. È sceso a mare rintontito. Ha letto qualche libro nella grotta mentre i granchi salivano e arretravano.

Oggi ha la maglietta e i pantaloni, s'è messo vento.

Vito guarda i detriti, i pezzi di barche e il resto vomitati sulla spiaggia che pare una discarica marina.

Dall'altra parte del mare c'è la guerra.

È stata un'estate tragica per l'isola. La solita tragedia, quest'anno di più.

Vito c'è andato poco in paese. Ha visto il centro d'accoglienza scoppiare, puzzare come uno zoo. Ha visto le file di quei poveracci davanti alla cucina nella tenda, le cabine di plastica dei cessi. Ha visto i campi di notte seminati di teli argentati. Ha visto Tindara, la loro vicina di casa, urlare e quasi morire dallo spavento perché un tunisino le si era infilato in casa a rubare. Ha visto i ragazzi che conosceva da bambino e adesso nemmeno saluta preparare pentoloni di couscous per il pranzo arabo dei disperati.

Vito non sa cosa farà della sua vita, vorrebbe studiare arte, è un pensiero che ha fatto quest'estate, che non ha detto ancora a nessuno. Disegna bene, è l'unica cosa che gli è sempre riuscita facile, naturale. Forse perché il ragionamento non serve, basta seguire il gesto. Forse perché ha passato tanto tempo a scarabocchiare quaderni e banchi invece di studiare.

Guarda l'avanzo di una barca, una fiancata a strisce azzurra e verde, una stella e una luna arabe.

Non ha mangiato nemmeno una fetta di tonno quest'estate, nemmeno una mupa. Solo uova e spaghetti. Non gli piace pensare a cosa mangiano i pesci. Lo ha sognato una notte, un fondale buio e un banco di pesci infilati in una testa umana come in una grotta di anemoni fluttuanti.

Fino all'anno scorso pescava, metteva un sacchetto di gusci di cozze e rimasugli nell'acqua attaccati a un galleggiante. All'alba andava a prendersi i polpi che s'incollavano al sacchetto e cercavano di penetrarlo con i tentacoli. Quando erano grossi lottava, gli succhiavano addosso, se li strappava. Poi i calamari con la luce di notte. Con la canna da pesca sul porto. Con la fiocina, nelle grotte. Strappare carne al mare gli piaceva troppo.

Quest'estate non c'ha pensato proprio a scendere in apnea. È rimasto sull'amaca. E anche al paese c'è andato l'indispensabile. Tutto quel dolore, quello scompiglio. C'è una parte dell'isola dove il mondo non arriva. Basta fare pochi passi e sei fuori dalla zona degli sbarchi e dei telegiornali.

Vito guarda il mare. Sua madre un giorno gli ha detto *devi trovare un luogo dentro di te, intorno a te. Un luogo che ti corrisponda.*

Che ti somigli, almeno in parte.

Sua madre somiglia al mare, lo stesso sguardo liquido, la stessa calma e dentro la tempesta.

Lei non scende mai a mare, solo al tramonto, certe volte, quando il sole che s'imbuca arrossa le rocce fino al viola e il cielo fino al sangue e sembra davvero l'ultimo sole del mondo.

Vito l'ha guardata incamminarsi sugli scogli, Angelina, i capelli sfrangiati dal vento, la sigaretta spenta in mano. Arrampicarsi come un granchio con la marea. È stato un attimo, per poco. Ha temuto di non vederla comparire mai più.

Sua madre per undici anni è stata araba.

Guarda il mare come gli arabi, come si guarda una lama. Sanguinando già.

Nonna Santa sbarcò in Libia con l'ondata migratoria del '38. Era la settima di nove figli. Suo padre e i suoi zii erano ceramisti. Partirono da Genova sotto la pioggia battente, il cielo punteggiato di fazzoletti zuppi che salutavano l'impresa verso la quarta sponda.

Nonno Antonio arrivò con l'ultima nave, quella che salpò dalla Sicilia, con i sacchi di sementi, i tralci di vite, i cespi di peperoncino. Era un bambino magro, olivastro, con un berretto più grande del suo viso. Non aveva mai attraversato il mare, abitava nell'entroterra, alle spalle dell'Etna. I suoi erano contadini. Dormivano sui sacchi. Antonio si era vomitato l'anima sua. Era arrivato pallido come un cadavere, però appena aveva sentito quell'aria si era subito *arricriato*. Odore di caffè, di menta, di dolci profumati. Nemmeno i cammelli della parata militare puzzavano. Vito ha sentito mille volte i racconti di nonno Antonio dello sbarco a Tripoli, di Italo Balbo sull'idrovolante che li precedeva, del tricolore immenso steso sulla spiaggia, e del Mussolini a cavallo con lo spadone dell'Islam puntato verso l'Italia.

Gli avevano fatto fare una giornata di vacanza a Tripoli per visitare la città, e poi li avevano portati verso i villaggi rurali. Si ritrovarono davanti chilometri di deserto da cui spuntavano solo arbusti. Si misero al lavoro. Molti italiani erano ebrei.

Fecero amicizia con gli arabi. Gli insegnarono i loro trucchi agricoli. Erano poveri con altri poveri. Avevano le stesse rughe di terra e fatica sulla fronte. Mangiavano il pane senza lievito cotto sulla pietra, mettevano a salare le olive. Scavarono pozzi, costruirono muri per difendere i campi coltivati dal vento del deserto.

Santa e Antonio si ritrovarono vicini di podere. Aiutarono i loro genitori nel lavoro, videro crescere agrumeti sulla sabbia, impararono l'arabo. Si diedero il primo bacio a Bengasi, durante uno spettacolo equestre di cavalieri berberi in onore del duce.

Poi scoppiò la guerra. Italo Balbo fu abbattuto a Tobruk dalla contraerea italiana. Per errore, dissero. I lampi di bengala inglesi illuminarono il cielo. I coloni italiani furono ricacciati indietro.

La famiglia di Antonio venne imbarcata sulla motonave Conte Rosso che al rientro affondò colpita dai siluranti britannici.

Ma a guerra finita molti tornarono su barche di fortuna, pescherecci marci e troppo carichi, arche di Noè come i barconi dei disperati di oggi. Una traversata a ritroso nel mare nostrum per ritrovare case, anni di sudore, di campi coltivati. O anche solo per amore. Come Antonio diciassettenne.

Viaggiò clandestino sommerso di reti puzzolenti come un pesce morto, nella stiva di un peschereccio partito da Marsala. Sbarcò cadaverico a Tripoli, dove la famiglia di Santa si era trasferita perché il padre lavorava alla rete fognaria della città.

I tripolitani accolsero i sopravvissuti al mare come fratelli ritrovati. Avevano in antipatia gli inglesi. Gli italiani erano neri di sole, parlavano un po' d'arabo, bevevano tè alla menta sui tappeti al tramonto. Si erano stretti nelle stesse sciare. Erano superstiti come loro, erano ingegno e fame.

Poi negli anni cinquanta fecero fortuna e figli, aprirono ristoranti, aziende artigianali, imprese edili. Coltivarono chilometri di sabbia.

Antonio era piccolo e scavato. Il petto carenato da gabbiano, denutrito da generazioni. Santa era poderosa. Alta fino al soffitto. Scura con gli occhi verdi. Un neo doppio che pareva muoversi sul viso come una formica che cerca d'arrampicarsi. Si sposarono nella Cattedrale. Antonio indossava una giacca lunga come un cappotto. Santa un velo corto. Corsero sotto i lampioni e le palme del lungomare accanto alla Fortezza Rossa su un carretto arabo trainato da due somari bardati di campanelli e piccoli specchi che riflettevano la luce miracolosa del tramonto dietro la medina.

Ampliarono un vecchio laboratorio di candele. Illuminarono le feste cristiane e le veglie dei morti nelle moschee.

Una volta alla settimana l'apicoltore Gazel apriva il bagagliaio di una vecchia Ford e consegnava loro blocchi grezzi, gommosi, scuri come tabacco ma dorati all'interno come resina. Santa scioglieva i blocchi di cera sotto una fiamma quasi invisibile. Durante il bollore toglieva con un setaccio le impurità, i pezzi di arnie che galleggiavano grigie e unte come avanzi di placenta. La raffinava, finché da gialla la cera diventava neutra e inodore, *color silenzio*, diceva. Antonio preparava le miscele delle colorazioni, colava la cera negli stampi, la profumava di cardamomo, di agrumi, ficcava gli stoppini. Si sbizzarriva

lasciando scivolare nelle candele ancora molli petali di rosa o un cuore di filamenti di palma. Passava
e ripassava attraverso un piccolo rullo punzonato la
cera per le candele a nido d'ape, la stendeva come
la sfoglia della pasta da cucina. Arrotolava le lastre
ceree a mani nude e i suoi palmi erano morbidi e in-
sensibili al calore.

Andarono a vivere nella zona di Case Operaie.

Nacque prima un bambino, Vito, che morì di pochi
mesi e fu sepolto nel cimitero di Hammangi.

Le lastre di cera rimasero appese nel buio dell'of-
ficina spenta come lingue dolenti.

Era il 1959, a Jebel Zelten d'improvviso zampilla-
va il petrolio. Lo «Scatolone di sabbia», che esporta-
va soltanto rottami bellici della seconda guerra mon-
diale, cambiava il suo volto miserabile. Cominciò la
guerra delle compagnie petrolifere internazionali.

Intanto Santa fu di nuovo incinta. Pregò nella chiesa
di San Francesco. Ogni giorno all'alba tirava fuori dalla tasca del grembiule da lavoro la sua candela più
bella, l'accendeva sotto i piedi del santo.

E Angelina si presentò con i piedi. In Italia sarebbe
nata con un parto cesareo. A Tripoli nacque in casa
con una levatrice tinta di henné fino ai gomiti che infilò una mano e fece la manovra.

Andò all'asilo Suore Bianche, poi alla scuola ele-
mentare Roma. Ogni mattina attraversava il ponte
della ferrovia. Mangiava semi freschi nel suq, sentiva il pepe del filfil bruciarle nel naso. Correva in bi-
cicletta fino alla piazzetta della ghiacciaia. Faceva il

bagno alla spiaggia dei Sulfurei. Aspettava il passaggio degli Angeli Volanti, gli acrobati delle motociclette. Tripoli era semplicemente la sua città. Il canto del muezzin scandiva le ore della sua giornata. Sapeva di essere straniera. *Taliana.* Le sue origini erano qualcosa in più, una ricchezza in più. Un giorno magari sarebbe partita per fare l'università. Ma poi sarebbe tornata. La sua vita era lì, tra l'Arco di Marco Aurelio e l'albero di gelso. Sotto quella luce che toccava terra e s'incendiava di rosso del deserto e di moulamoula festanti.

C'era stata la guerra dei sei giorni, il pogrom contro gli ebrei. I morti, le case bruciate. Il macellaio ucciso davanti alla sua mostra di carni.

Poi venne quel giorno di settembre. Il coprifuoco. La città avvolta nella coltre del sotterfugio, sospesa nel silenzio.

Tutti pensarono che fosse morto re Idris.

Non era in città. Era in Turchia a farsi curare. Il vecchio re senussita aveva mostrato scarso impegno nel sostenere la causa araba, era cerimonioso con gli stranieri, aveva lasciato costruire agli americani la più grande base per il controllo del Mediterraneo. Però era celebrato e rispettato. Magrolino, inoffensivo, appoggiato al suo bastone storto con la sua lunga barba da mago.

Nella cereria Antonio si attaccò alla radio.

E seppe del colpo di stato di quel giovane ragazzo del deserto, bello come un attore, seducente come un martire.

Carismatico come il suo idolo, Nasser d'Egitto.

Nessuno spargimento di sangue, solo bandiere verdi. La rivoluzione del popolo, dissero. Anche se erano davvero in pochi, il beduino della Sirte e i suoi dodici apostoli, tutti giovanissimi.

Era il giorno dell'apertura della caccia. L'apicoltore Gazel era andato ad inseguire antilopi.

Angelina aveva incontrato suo figlio Alì a Sciara Mizran, era eccitato, c'era festa nelle strade, immensi cingolati avanzavano, pacifici come grossi giocattoli. Si mischiarono alla folla, corsero insieme fino al mare, fino alla piattaforma davanti al castello. Fecero un bagno lungo, infinito. L'acqua era così chiara che il fondale sembrava un tappeto e loro galleggiavano sospesi in alto, leggeri come pesci volanti.

Rimasero a mare fino al tramonto, i corpi vicini, i costumi che si asciugavano addosso. Parlarono del futuro. Alì voleva sempre parlare del futuro. Era poco più grande di lei, ma quel pomeriggio di settembre sembrava già un uomo.

Cominciarono dagli ebrei.

Gli stessi ebrei che a Tripoli avevano vissuto liberi anche sotto il fascismo, fatto commerci coloniali, bevuto tè protetti dai gazebo di tulle, danzato nei circoli privati, nonostante le leggi razziali promulgate a Roma.

Renata e Fiamma, compagne di classe di Angelina, un giorno non risposero all'appello.

Venne la preside. La professoressa se ne andò in corridoio a piangere.

Angelina guardò la cartina dell'Italia sul muro, le palme fuori dalla finestra. Guardò i due banchi vuoti. Aveva undici anni. Era appena passata in prima media. I seni erano due bottoni gonfi. Aveva sandali bianchi ai piedi e da due mesi si metteva il profumo.

Angelina non sapeva che anche lei non avrebbe finito l'anno scolastico. Di lì a poco la scuola avrebbe chiuso, accatastati i banchi, strappati l'alfabeto e il crocefisso.

Tutto ciò che guardava era un passaggio. Il mare dopo la casba, la fontana della Sirenetta, il mercato coperto e il cinema Gaby. Se avesse avuto una macchina fotografica avrebbe dovuto fare una fotografia come una turista. Alla sua casa. Agli arancini siciliani sul vassoio. Ai vecchi che giocavano a domino sotto il gelso. Al suo amico Alì gocciolante di mare, con le mani sui fianchi, la maschera in testa, il boccaglio tra i denti bianchissimi.

Angelina non sapeva che il giovane Gheddafi avrebbe scacciato pure i morti del cimitero di Hammangi. Che l'Italia si sarebbe riportata indietro le spoglie di migliaia e migliaia di soldati morti in Libia.

Che suo padre e sua madre, i loro amici del villaggio di Oliveti, quelli di Sciara Derna e Sciara Puccini, di Case Operaie, quelli che avevano costruito le strade, i palazzi, i pozzetti fognari, reso una fruttiera il deserto, tutti loro avrebbero pagato le malefatte del colonialismo cruento e velleitario dell'Italia liberale di Giolitti e della quarta sponda fascista.

La cera scivola in terra, ricopre il pavimento dell'emporio, una pasta senza odore, color silenzio. La porta sbatte nel suo cardine. Un gatto di porto, sporco di pesce, miagola rauco.

Santa e Antonio guardano il mare, la bambina in mezzo a loro.

Le palme di corso Sicilia oscillano, si piegano tutte da una parte. Verrà il ghibli, verrà quella polvere grigia, sabbia in bocca, tra i capelli, tra le dita. Loro non saranno più lì. Salutare la propria vita è facile. È un'alba piombata. Sono vivi, questo è quello che conta.

Vito guarda il mare, che comincia a calmarsi, si ritira. Pare arrabbiato di quella ritirata. Sbatte sugli scogli indolente, disordinato, con meno vigore. L'acqua è confusa, dopo la tempesta della notte il fondo non si vede. Vito pensa a una discoteca all'alba, alla moquette sporca, al puzzo di fumo e di sudore. I divani acciaccati, i posacenere ricolmi, le cicche per terra insieme ai vetri dei bicchieri rotti. Pensa alla sua festa dei diciotto anni.

I suoi amici si sono ubriacati, hanno preso pasticche. Li ha visti ballare allucinati, ondeggiare avanti e indietro senza quasi muoversi, come un banco di alghe malate. I piedi incollati nel delirio.

Nessuno di loro sa cosa fare della propria vita, a parte quelli che hanno le attività dei genitori e si infileranno in un punto vendita.

Anche Vito non sa cosa fare della sua vita.

Fino a poco tempo fa non c'ha davvero pensato. Era tranquillo. Il pensiero era: uscire, trovare i soldi per uscire, per il gasolio, per la birra e il kebab, fregare sua madre, farsi dettare i compiti al telefono, beccare un passaggio in macchina da uno con la patente per andare a Catania il sabato notte a mangiare, a vedere le vetrine di corso Italia, i film, le negre in via Di Prima.

I diciotto anni gli hanno portato male. Di colpo si è messo a pensare.

In quella discoteca che pareva una discarica, di vita, di anni giovani. E questo gli era sembrato triste, che non ci fossero vecchi ma solo ragazzi. Pensava a nonna Santa, con i suoi vestiti scuri e i suoi capelli bianchi, le sue mani sempre pulite, sempre a mollo con le verdure. Era un pensiero folle. A casa non parlava mai con nessuno e adesso di colpo gli sarebbe piaciuto avere sua nonna lì accanto a quel sordo del dee-jay.

Una ragazza piangeva in un angolo, così presa di alcool che non riusciva ad alzarsi. Le gambe grosse, i tacchi da ingessata. Il trucco, più nero dei capelli, in cammino sulle guance formava due autostrade. E lui s'era messo a correre su quelle corsie nere. Quante volte i suoi amici sorpassavano di notte sull'autostrada, il motore tirato sui tornanti. L'asfalto così veloce che non si vedeva, gli occhi rossi come palline nel buio.

Giocavano ad accecarsi con i laser cattivi dei cinesi. Urlavano. Ridevano. Fumavano.

Avrebbero potuto schiantarsi cento volte. Finire sul giornale. Una di quelle macchine aperte come scatole di tonno. E sotto le facce delle carte d'identità.

Pensava alla sua faccia senza barba sulla carta d'identità. Quella fatta a sedici anni. Aveva la cresta e quell'espressione da deficiente. Sembrava ancora un bambino.

Doveva farsi una nuova foto nella macchinetta, una nuova carta d'identità. Adesso era maggiorenne. Adesso poteva andarsene di casa. Poteva andare in galera.

Nessuno si avvicinava alla ragazza nel buio chiazzato della discoteca, anche lui non ci pensava proprio. Era respingente. Non sembrava nemmeno triste. Sembrava una fontana nera, senza ragione altra di vivere se non star lì e piangere. Non faceva pena. Avevi la sensazione che potevi prenderla, tirarla per una spalla e buttarla fuori. Si sarebbe fermata a piangere sotto un oleandro, senza cambiare espressione. Era una di quelle che tornano a casa così, sbavano il cuscino di rimmel, di guance nere, salate e amare. Poi fanno la doccia, si mettono l'assorbente, si siedono al banco, tornano a muoversi come alghe. E come ritrovano un pouf in una discoteca si rimettono a piangere, così, senza ragione, perché non hanno mai smesso, perché è il loro modo di parlare o di isolarsi o di attirare l'attenzione. Non cambia granché. È uguale. Uguale all'altra ragazza magra che invece ride. Che entra in discoteca e comincia a ridere, forse solo perché ha i denti bianchi che diventano fosforescenti con i giochi di luce. Tutti ballano. Nessuno è interessato. Sono comportamenti che viaggiano e si spostano da un corpo a un altro. Tentativi di vita. Ripetere al meglio quello che sai fare. Tirare fuori le emozioni come una grandine violenta. Come se non fossero le tue. Tu le stai semplicemente provando, le stai ballando con gli altri. Tu sei solo il muso dove la grandine batte, dove i giochi di luce passano.

Poi, non si ricorda come, le aveva dato un bacio con la lingua a quella cicciona sudata di tutto. S'era allippato quel pantano caldo.

Vito guarda l'orizzonte farinoso e cieco. Guarda la spiaggia, una discarica di oggetti vomitati. Il mare adesso sembra un coperchio, argentato come una moneta.

Avanti e indietro in quel tratto di mare, questa è stata la storia della sua famiglia.

Angelina gli ha raccontato la cacciata, i fucili addosso, spinti nella schiena. Quella vita araba strappata, la spiaggia dei Sulfurei, la pianta di gelso di Sciara Derna, la scuola Roma, gli amici per la vita.

Tutto via in un mattino di burrasca.

La vita spezzata, quella è stata la storia di sua madre.

Sua madre sa cosa vuol dire affrontare il mare indietro.

Appresso agli uccelli che migrano.

Angelina gli ha detto: gli uccelli sanno lasciare le loro uova in un luogo protetto. Le nostre uova sono state rotte. Straziate. Le nostre case dentro una valigia. Uscire dal guscio per correre, scappare.

Alle spalle solo un filare di panni stesi a cui qualcuno ha dato fuoco. Camicie, mutande in fiamme. Soldati con i berretti rossi tra le piante di eucalipto che urlano *rumi!*, italiani!, e sputano.

Angelina ne ricorda uno, quello che buttò giù con la spranga il bidone dove bolliva la cera. Scuro ma con gli occhi azzurri e i capelli biondi che quasi parevano tinti. Era il figlio di una violenza.

Lei non sapeva nulla di quella violenza. Certe cose le seppe più tardi. Quando seppe degli stupri, quando vide le fotografie delle fosse comuni nella sabbia, i filari di beduini impiccati.

Aveva undici anni nel '70, Angelina. Passava in prima media.

Le urla, le file davanti agli uffici ministeriali, al consolato. Il nullaosta per il visto d'espatrio. Il certificato di nullatenenza. Tutti corrono senza una meta, attaccati ai muri come lucertole, a raccogliere notizie che cambiano ogni giorno. Nessuno più entra nella casba... le saracinesche dei negozi tirate giù... e quei due uomini brutti, quello con le labbra viola e bagnate e quello più scuro, a bordo di quell'Alfa che rallenta nelle zone italiane, sotto le case e i negozi che di lì a poco saranno espropriati.

Angelina ricorda la notte del vaccino per il colera. Attaccata alla vestaglia di sua madre, al suo volto pallido come una candela. Color silenzio, davvero.

Perché glielo fecero quel vaccino obbligatorio che arrivava dall'Italia? Che senso aveva? Glielo fecero senza cambiare siringa. Ma per fortuna non ebbe conseguenze.

Quando ha raccontato quella storia al figlio, s'è scoperta il braccio. Gli ha mostrato il punto esatto dove l'ago entrò.

Vito prendeva appunti per la sua tesina di maturità.
– Non posso metterci tutto ma'…
– Allora perché mi fai tante domande?

Quella notte Angelina conobbe la guerra. Ogni confine abitato dalla fiducia si perse. Quella sensazione di vuoto, di rapina. Se fai un passo fuori posto, se guardi dove non devi, se le tue gambe cedono un po'. Oltre la fila c'è l'abisso. Arabi in divisa che ispezionano il tuo tremore.

Santa la teneva stretta, le stritolava la mano. Il cuore batteva come un tamburo e Angelina aveva paura di quel rumore che non riusciva a fermare. Era così forte, le sembrava che tutti potessero udirlo. Non era più un cuore, era un martello, lo stesso rumore dei battitori di rame al mercato. Intorno la notte era fuoco nero. Tutto quello che le era sembrato amico e tacito ora era un agguato. I muretti di fichi d'india, le punte dei minareti. Pensò al massacro di Sciara Sciat, lo aveva studiato a scuola. Quei bersaglieri italiani, giovanissimi, imbarcati nella vanagloria della conquista coloniale, avanzavano tranquilli nella città silenziosa e bianca come un presepe. Tripoli era stata presa senza fatica, gli arabi sembravano essersi sottomessi, arretrati nel deserto. Il nemico erano i turchi. Poi quei richiami, misteriosi come quelli degli uccelli, quelle ombre con il turbante, agili al buio come scorpioni. Quel fronte aperto, senza riparo. Il labirinto dell'oasi da un lato, il fiato del Sahara dall'altro. Alcuni bersaglieri cercarono salvezza nel piccolo cimitero di Rebab lì accanto. Morirono in seicento con le gole tagliate, seviziati, crocefissi come fantocci. Era una sera di ottobre del 1911.

Le rappresaglie degli italiani furono terribili, gli abitanti della Menscia trascinati via dalle loro case di fango, i villaggi dell'oasi bruciati, migliaia di esecuzioni sommarie, i superstiti imbarcati verso il confino alle Tremiti, a Ustica, a Ponza.

Ora l'odio era tornato vivo.

Era quella la rivoluzione del beduino della Sirte, che sotto la divisa aveva il corpo segnato dalle mine lasciate dalle guerre coloniali.

Ovunque nella città ardevano roghi di libri europei, di scrittori blasfemi, imperialisti e corrotti.

Taliani assassini! Taliani via!

Angelina porse il braccio per il vaccino. Non fiatò. Una goccia di sangue uscì. Una stupida goccia di sangue.

Abbandonarono la casa, i letti, il negozio di candele. Antonio lasciò le chiavi del Maggiolino attaccate al cruscotto. Voleva buttarle nella sabbia, ma poi ci ripensò. Con quella macchina durante i giorni di festa raggiungevano gli scavi di Leptis Magna, mangiavano i panini davanti alla testa della Medusa, facevano il bagno.

Andarono a piedi verso il porto. Attesero molte ore, furono perquisiti, trattati come criminali.

Le amiche arabe di Angelina si graffiarono la faccia per il dolore, come facevano solo per i funerali.

Avevano giocato a campana, a un due tre stella, sull'impiantito di pietra davanti alla cereria.

Ma sha' Allah, che Dio ti protegga.

Vito guarda il mare.

Angelina gli ha raccontato del cuscino, se lo stringeva addosso sulla banchina. Un cuscinetto di raso amaranto con i ricami di filo dorato. Glielo aveva regalato il suo amico Alì. Quel bambino magro, più alto della sua età. I capelli lisci e lucidi, di un nero quasi blu, portati con la riga da una parte. Quando andavano a nuotare si toglieva gli occhiali da vista e li avvolgeva nella maglietta. Lei agitava le dita. *Quante sono queste?* Alì da lontano non vedeva quasi nulla e sbagliava sempre. Si arrabbiava, era un bambino permaloso. Però faceva finta di niente. Si immergeva, nuotava come i pesci, incollato al fondo, così a lungo che lei lo credeva morto. Iniziava a cercare la sua testa nell'acqua, a sperare che riapparisse. Alì usciva all'improvviso, nel mare immobile. Prendeva lo slancio dal fondo, puntando i piedi sulla sabbia e saltava fuori come lo sputo di un delfino.

Il figlio di Gazel l'apicoltore arrivava con il padre, acquattato sul sedile nero e strappato della Ford rossa. Oltre alla cera caricavano gabbie di galline, cesti di uva. Alì aveva un cappello da baseball di tessuto a strisce, i suoi occhiali spessi e un libro sempre in mano.

Una volta l'aveva portata a vedere le arnie delle api. Fu la prima gita che fecero insieme, Angelina salì sulla Ford. Costeggiarono le vecchie rovine romane, fino a un villaggio berbero. Alì diede una copertura ad Angelina, un grande grembiule metallico e una rete sul volto. Lui invece si spogliò. Tolse gli occhiali, rimase a torso nudo. Si lasciò ricoprire interamente dalle api, impietrito, con le braccia larghe come gli spauracchi tuareg. Le api gli bisbigliavano addosso, e Alì non sembrava provare il minimo fastidio o solletico. Erano così tante che formavano una pelliccia rumorosa appena scossa dal vento. Gli occhi di Alì erano immobili e la fissavano. Sembravano davvero quelli di un animale invaso da animali più piccoli. Erano allucinati e incredibilmente tristi. O forse soltanto concentrati. Angelina aprì una mano. *Quante sono le dita?* Alì non poteva parlare, non poteva ridere. La bocca sembrava una ferita incollata. Lei continuava ad abbassare e sollevare dita. *E adesso quante sono?* Le scocciava che lui fosse così superiore a lei in tutto, che avesse tanto di quel coraggio ostinato. Alì rispose, disse che le dita erano sei e indovinò. Forse la paura aiutò la sua vista. Però un'ape gli entrò in bocca e lo punse nella gola. Angelina vide i suoi occhi neri e tristi arrossarsi e gonfiarsi, diventare disperati. Sembrava chiederle aiuto con tutto se stesso. Non doveva tossire, non doveva muoversi. Ma la gola si stava gonfiando. Iniziò ad ansimare, ad emettere strani rantoli. Sembrava vicino alla sincope. Le api cominciarono a innervosirsi, a diventare sempre più rumorose. Anche se soltanto la metà di quella colonia di api avesse deciso di pungerlo, Alì sarebbe morto sul colpo. Angelina lo vide piegarsi sulle gambe. Indietreggiò terrorizzata.

Fu il padre a salvarlo, strappò un tubo dell'irrigazione e sparò addosso al figlio una roggia violenta d'acqua. Le api caddero come pelo reciso, formarono un nugolo bagnato e sibilante sulla sabbia. Alì fu condotto in casa, immerso in una zuppa di erbe dello Yemen e di polvere di ammonio.

Aveva la febbre alta e delirava.

Ricomparve dopo una settimana.

Frequentava la madrasa, scriveva sui quaderni, ma anche sulle tavole. Angelina andò ad aspettarlo fuori dalla sua classe, ma Alì non la degnò di uno sguardo.

Angelina era triste, aveva ripensato mille volte alla scena. Era lei che lo aveva provocato, gli aveva fatto le smorfie. Era gelosa di quel coraggio, di quella immobilità da marabutto. Lei non avrebbe retto neanche un secondo. Di notte si sentiva un pungiglione in gola. Le veniva una tosse nervosa che le graffiava le tonsille quando pensava al pericolo che avevano corso. Sognava Alì che si rovesciava e moriva sulla sabbia divorato dalle api. Sognava quel corpo magro gonfio di veleno sanguinante di punture.

Poi Alì si era ripresentato dalle sue parti. Un pomeriggio di inizio estate, era venuto alla gelateria italiana Polo Nord. Leccava il suo cono, gli occhi con gli occhiali fissi su un libro.

– Cosa leggi?

Erano poesie di Ibn Hazm. Gliene lesse una.

Vorrei che mi fosse spaccato con un coltello il cuore, che tu vi fossi introdotta e che poi venisse richiuso nel mio petto…

Toccò sotto la stoffa dei pantaloni il coltello per le ostriche che portava sempre con sé. Alì adesso aveva quasi tredici anni, una leggera peluria tra il sudore sopra il labbro. Angelina lo guardò, era arrossita. Alì era diverso, non era mai stato timido e adesso lo sembrava, sembrava tremare come l'asfodelo in fiore alle loro spalle. E tutto intorno vibrava di una luce aranciata e soffusa, con una sua sofferenza dentro. Come se un mondo dietro di loro si stesse ritirando, arretrando in qualche luogo diverso.

Era l'infanzia che si ritraeva. Un nuovo stadio di intimità e di vergogna. All'epoca Angelina ne sapeva troppo poco per interpretare lo smarrimento e la tragedia. Venne a piovere, scapparono ognuno a casa propria. Angelina si fermò a respirare sotto l'albero della gomma.

Le piaceva la pioggia a Tripoli, era violenta, improvvisa come i suoi sentimenti. Angelina si lasciò bagnare. Aveva sandali bianchi, gambe nude, capelli ricci che si schiarivano sulle punte. Sentiva qualcosa dentro, la mano di Alì che la strappava a se stessa per introdurla nel suo cuore arabo come nella poesia.

Il giorno della partenza Alì corse fino all'arco bianco davanti alla casa di Angelina. Rimase molto tempo sotto il sole ad aspettarla. Angelina indossava il cappotto, i capelli stretti, tirati come non glieli aveva mai visti. Il padre e la madre ugualmente indossavano capi troppo pesanti. Si erano messi addosso più roba possibile. Una forma di previdenza. Il tempo si era interrotto e le stagioni a venire si mischiavano, confuse come gli strati dei vestiti. Alì pensò che avrebbero sudato durante il viaggio.

Non avrebbe mai più portato i blocchi di cera grezza alla cereria degli italiani, suo padre non si sarebbe più fermato a bere la premuta di arance siciliane con Antonio, a giocare a domino sotto la tettoia di fico, e lui non avrebbe più atteso le gambe di Angelina, i suoi salti giù dalle scale, il suo viso appuntito, i suoi occhi verdi e crudeli. Usciva dalla penombra, dall'odore di cera e cardamomo. Ciondolava una gamba nella fessura dell'uscio. Lo guardava come uno scarafaggio che non si decideva a schiacciare solo per pigrizia. Alì non entrava nella cereria, restava appoggiato alla carrozzeria impolverata della Ford, fingeva di leggere.

Nessuno voleva darla vinta all'altro.

Quando cominciavano a giocare era già tardi, già ora di andare. Erano stati degli stupidi. Gli restava dentro una nostalgia incontenibile, un grido di ingiustizia. Insieme giocavano come con nessun altro. Come se fosse una sola bocca a cantare, una sola gamba a saltare. Accordati come uccelli su un'unica scia. Gli stessi pensieri, gli stessi movimenti.

Il giorno della partenza di Angelina, Alì era entrato nella cereria. La porta era semichiusa, tutto era abbandonato. Il laboratorio sembrava una chiesa profanata, un retrogusto di odori lacustri e spenti. La cera rigida incollata al tavolo, le scatole di cedro buttate alla rinfusa. I fogli cerei appesi al lungo filo, strappati come bandiere di un regno morto. Come quelle di re Idris. Un gatto sedeva sui fuochi spenti, si puliva il pelo della pancia con le zampe aperte, la coda alzata. Un altro beveva nell'acquaio di pietra.

La famiglia era uscita dal palazzo accanto, remissiva, silenziosa.

Santa e Antonio avevano salutato e baciato il figlio dell'apicoltore.

La porta verde della cereria sbatteva incustodita alle loro spalle. Sembravano tre persone diverse. Tre pallide maschere, prive di qualunque espressione conosciuta, riconducibile alla vita che Alì gli aveva visto vivere fino a quel giorno. Sembrava che qualcuno durante la notte li avesse uccisi, e poi li avesse rifatti di cera. Colati nello stampo di se stessi. Avevano una certa somiglianza, ma non erano più loro. Anche gli occhi erano fissi e imbevuti di morte come quelli degli uccelli impagliati.

Non parevano avere gli stessi sentimenti.

Angelina appariva cresciuta. Era più alta e più formosa con quel cappotto scuro di lana chiuso fino alla gola. Si muoveva rigida come un pupazzo meccanico, come se qualcuno le avesse dato direttive precise.

Si comportava esattamente da deportata. Una condannata a morte per un reato inconfessabile.

Sembrava colpevole di qualcosa, come i suoi genitori.

Alì aveva voglia di sciogliersi in calde lacrime addosso a lei. Tremava febbricitante, non aveva dormito, l'aveva attesa sotto il sole, sotto l'albero della gomma che avevano graffiato tante volte insieme.

Angelina era rimasta immobile e impettita. Gli aveva teso un braccio duro e adulto.

– Ciao Alì, buona fortuna.

Era stata la madre a spingerli a darsi un bacio. Era stato darlo contro un sasso.

Alì s'era fatto coraggio e le aveva messo tra le braccia il suo regalo.

Era un cuscino, usato ma piuttosto elegante, di raso rosso cupo, con dei fregi e bordato di corda color oro. Sopra c'aveva messo qualche merguez, quelle salsiccette scure che a lei piacevano tanto.

Erano strane delle salsicce su un cuscino di raso. Doveva essere una dichiarazione d'amore, o qualcosa di simile.

Non potendo strapparsi il cuore dal petto per donarglielo, aveva ripiegato sulle salsicce. Angelina le aveva guardate senza muovere un muscolo.

Alì la scrutava sotto i suoi occhiali, con la sua stupida faccia che voleva dirle tutti i suoi progetti. Tra pochi anni sarebbe stato maggiorenne. Sarebbe venuto in Italia, avrebbe potuto concludere gli studi lì, come suo cugino Mohamed, si sarebbero sposati. Perché quello era il cuscino di suo padre e sua madre, il cuscino degli sposi.

– È molto prezioso.

Non sembrava così prezioso. Il raso era vecchio e liso, il cordone un po' annerito.

Angelina gli diede una fotografia, la migliore che aveva. Gliel'aveva fatta il fotografo della scuola. Era di profilo, guardava oltre il vetro di una grande finestra, avvolta da una luce sbiancata che la rendeva suggestiva. Alì rimase a guardare quella fotografia con il suo sorriso indolente. Cosa vuoi che fossero una manciata di anni per un ragazzo capace di resistere all'assalto di centinaia di api?

Angelina si infilò le salsicce in tasca e il cuscino sotto il cappotto.

Pareva una bambina incinta, di un cuscino arabo.

Le fece compagnia durante la lunga attesa per i controlli. Un ragazzo invalido era stato costretto a scendere dalla sedia a rotelle, era rimasto a scivolare sui moncherini come uno di quei lucertoloni del deserto che i tuareg arrostivano.

Angelina s'era messa a succhiare il cordone del cuscino di Alì, a stringerlo tra i denti che battevano. I militari le avevano urlato di aprire il cappotto. Le avevano strappato il cuscino, lo avevano sventrato a colpi di baionetta. Chissà cosa credevano di trovarci in quel cuscino sudato, sporco di saliva, succhiato da una bambina impaurita. Banconote, gioielli, sacchetti di droga, chi lo sa.

Il mare s'era riempito di piume piccole e grigie. Erano volate fino alla piattaforma del castello che lei raggiungeva a nuoto con Alì. C'era una cernia bianca nascosta da qualche parte lì sotto in quel fondale di sabbia e alghe fini come veli. Angelina l'aveva salutata dalla nave, insieme ai minareti, alle grandi palme di corso Sicilia, alla Fortezza Rossa.

Angelina sa cosa vuol dire ricominciare.
Voltarsi e non vedere più niente, solo mare.

Le tue radici inghiottite dal mare, senza alcuna ragione accettabile.

Angelina ha imparato a convivere con l'irragionevolezza umana. La sola immagine di quel dittatore col turbante e gli occhiali da sole la rendeva aliena, strana. Che faccia era quella? Quei capelli come ragni inchiostrati.

Per undici anni Angelina è stata araba.

Era poco prima dell'adolescenza. Era stato un passaggio. Un calcio nella pancia.

C'è qualcosa nel luogo dove si nasce. Non tutti lo sanno. Solo chi è strappato a forza lo sa.

Un cordone sepolto nella sabbia.

Un dolore che tira sotto e ti fa odiare i tuoi passi successivi.

Hai perso il senso dell'orientamento, la stella che ti seguiva e che tu seguivi nel buio incandescente di quelle notti mai del tutto nere.

Per un pezzo Angelina non ha più saputo chi fosse. Qualcuno le aveva dato quel nome: Tripolina.

Tripolini. Generazioni di stracci buttati indietro.

Senza più nulla, smistati nei campi profughi in Campania, in Puglia e al nord. Le file davanti ai cessi con la carta igienica. Pantofole nel fango. Pasta nelle vaschette di plastica. Un televisore su una sedia pieghevole. Un campeggio di finti turisti. La zona di transito dove la vita si arresta.

Per i più anziani era stato impossibile pensare di ricominciare.

Angelina e i suoi erano stati fortunati. Li avevano sistemati in una pensione marina.

Un refettorio seminterrato con le pareti verdastre. I panini nelle buste. La marmellata è un cubo di gelatina color fango. Suo padre ripone il tovagliolo nel cerchio di plastica. Sono pensionanti che non pagano, l'inserviente urla di sbrigarsi. Lei e sua madre camminano di notte verso il bagno comune come due fantasmi.

Dov'era quella pensione? Un posto di villeggiatura scadente, senza vita. Villette lasciate a metà. Un confino per camorristi.

Santa stira sul letto con un ferro pieghevole, da viaggio.

Antonio affacciato su una rampa di cemento, un garage. Automobili che fanno sempre lo stesso tornante.

Le braccia magre nella camicia a maniche corte appuntite dal ferro da stiro sembrano ali spezzate.

C'è una fila di limoni sul davanzale della finestra. Sono le scorte di vitamine.

Angelina ricorda la zona attrezzata nello slargo senza alberi. L'altalena metallica che non sale in alto. L'asse basculante con i due seggiolini. Angelina piega e allunga le gambe come una rana. Ci vorrebbe un altro bambino dall'altro lato.

Ci vorrebbe la sabbia negli occhi, nei capelli.

Dove sono il caffè Gambrinus, il cinema all'aperto di Tripoli, le feste al circolo Italia? Dove sono tutti i loro amici?

Nessuno li saluta, non conoscono nessuno.

Il puzzo di un inceneritore, di gomma che brucia.

Vanno a letto con quell'odore, entra nella stanza. La scorta di candele profumate è finita. Vanno alla Standa. Comprano le candele industriali alla citronella. Santa dice *non c'è vera cera, c'è la schifezza.*

Il padre dice *è transitorio.*

Poi lo stato gli aveva assegnato un alloggio, finalmente in Sicilia. Sembrava il giorno della rinascita.

Una scatola nera. Finestre con un muro davanti. Una zona portuale, periferica.

I suoi non si erano mai adattati. Mangiavano sardine in scatola guardando la tv. Non riconoscevano niente e nessuno li riconosceva.

Muti come statue di sabbia.

Il padre esce per cercare un lavoro. Angelina ricorda il gesto della madre, che lo tocca da dietro, gli spolvera la spalla. Antonio si volta: *che c'è? Sono sporco?*

Santa lo accompagna alla porta. Resta affacciata, guarda la tromba scura delle scale che salgono. Respira guardinga l'odore delle altre vite che abitano quel cratere. I sughi, le cantine.

È come un topo, aspetta l'ora propizia per uscire.

Non ci sono figure umane in quella nuova vita, solo forme urlanti e sguaiate, senza alcun bisogno di loro.

A Tripoli c'erano molti mendicanti, vecchi berberi con la jallabiya lurida, i bottoni strappati. Ma anche molti negri, storpi, mutilati, fuggiti da qualche eccidio. Santa non li faceva entrare nella cereria, però gli dava sempre qualcosa. Panni dismessi, una candela per la notte.

Ora sono loro i poveri. Poveri bianchi, sfollati. Hanno gli stessi occhi screditati di chi si è perso.

Alzano lo sguardo soltanto per cercare conferma della propria esistenza negli altri corpi umani che passano lungo la strada.

Erano gli anni settanta, trovarono un mondo distratto. A nessuno interessava la loro diaspora. Erano la coda sporca di una storia coloniale che nessuno aveva voglia di dissotterrare.

Il vero confino fu quello, la solitudine morale.

Antonio ha il suo borsello di plastica nera, pieno di documenti, consumati dalle file, dalle mani che sudano mentre parla. Mostra il foglio che spiega la sua condizione di rimpatriato.

Le facce dietro agli sportelli lo guardano male, stranite.

Cosa siete tornati a fare? A rubare il lavoro agli altri italiani, quelli veri, nati e cresciuti qui? A saltare avanti nelle graduatorie di disoccupazione?

In fin dei conti se l'erano andata a cercare, e poco importa se erano i figli di contadini deportati in Libia dalla propaganda, spinti dalla fame.

Gheddafi s'era ripreso il suo. L'Italia era colpevole. E loro erano l'avanzo di quella colpa. Un branco minore di diseredati.

All'inizio c'era un comitato, si sentivano con gli altri italiani scacciati. Ma poi non cercarono più nessuno. Tutto si sfilacciò.

Rimasero soli come scimmie bruciate dall'olio bollente. La piaga custodita nel silenzio, nei sospiri.

Santa smise di lottare. Da qualche parte cominciò a sentirsi colpevole. A sembrarlo. Non riusciva a staccarselo di dosso quel sentimento di smarrimento, di minorità. La gente privata di se stessa perde i confini, messa al muro può confessare un omicidio che non ha commesso. Non li avevano certo ammazzati loro i beduini nei campi di concentramento, loro avevano solo lavorato, fatto bella la Libia, scavato pozzi e fognature. Loro avevano colato e raffinato chilometri di cera benedetta dai vescovi e dagli imam.

Antonio era sempre stato rachitico, i vestiti appesi come su una sagoma di legno. Santa adesso sembrava più fragile di lui. Ripeteva cose sue nel silenzio. Pensava al neonato morto, rimasto solo nel cimitero cristiano di Tripoli. Non avevano fatto in tempo a portarselo via, non avevano i soldi per corrompere qualcuno. Agitava la testa come un uccello che becca da un ramo troppo lontano. Era dimagrita venti chili.

Angelina ricorda la visione del seno di sua madre mentre si lava le ascelle nel lavandino piccolo accanto alla lavatrice. Le mammelle imponenti ridotte a due sacche vuote con due bocchette violacee.

Aspettavano. L'indennizzo dei rimpatriati.

Non si parlava d'altro che di quell'indennizzo che li avrebbe riabilitati.

E poi quelle domande reiterate: perché Moro non aveva accettato l'invito di Gheddafi? Perché l'Italia aveva così sottovalutato la questione? C'era la crisi di governo, certo. Ma non ci pensavano a loro, agli italiani di Libia? Avevano un nome e un cognome, avevano facce e morti nei cimiteri. Come tutti quei bambini uccisi dall'epidemia di gastroenterite.

Era questo il risarcimento al sacrificio di tutte quelle madri?

Non si trattava solo di soldi. Volevano avere indietro un nome, un luogo. L'indennizzo era alla dignità. Al sale sputato, al sangue tolto.

Alzare la testa e dire siamo stati rimborsati dal nostro paese. Siamo vittime della storia.

Gli anni passarono in quella lotta vana. Perché vane diventano le parole ripetute troppe volte. I pensieri sono un gas cattivo.

C'erano il terrorismo, le stragi nere, i servizi segreti.

Il racconto del loro esodo si sbrindellava come un aquilone rotto da un vento che sbatte troppo forte.

Erano già soltanto una fotografia, un piccolo comitato, una manifestazione inutile. Erano già una grande sala da banchetti piena di reduci nostalgici che mangiano couscous in Brianza, in Veneto.

Santa non muoveva più bene un braccio. Un dolore chiodato nelle ossa.

Andava dallo psichiatra della usl a farsi dare qualcosa per non soffocare la notte quando si metteva giù. Sembrava che una mano le inchiodasse lo sterno. Il piombo sul petto. Le bare riportate indietro dai caccia italiani. E il suo esserino rimasto lì, in quel luogo divelto.

Non riusciva a seppellire il tormento di quei resti suoi, del suo utero, abbandonati nel cimitero dove le tombe rimaste venivano profanate per sfregio religioso, per rubare qualche catenina con i coralli.

Sognava pezzi di arnie vuote galleggianti nella cera.

Gli occhi di Antonio parevano ricoperti di pomata.

Trovò lavoro agli imballaggi in una azienda di mobili da ufficio. Poi passò all'amministrazione. Era onestissimo, faceva i conti fino a notte fonda, finché non tornavano. Era un'ossessione.

Appresso a un'ingiustizia o ci impazzisci, o ti nascondi.

Angelina ricorda i vestiti della chiesa, della carità cristiana. Che odoravano di altri bambini, di altri armadi. All'inizio le piacevano quei pacchi che sua madre riportava a casa, gonne, cappotti infeltriti da altre bambine.

Annusava la lana, il fluido di altre vite piccole come la sua.

Odore di chiuso, di naftalina, di avanzi.

E presto le sarebbe salito lo schifo. Come le maree di quel mare nero, di scoli industriali davanti ai palazzi. Preferiva anche uno straccio del mercato purché odorasse di plastica, di nuovo.

Era abituata alla libertà, al caldo infinito, al parco con le palme secolari, le grandi vasche in pietra, all'odore fondo e inebriante del suq, delle noccioline tostate, delle frittelle, degli infiniti aromi del caffè.

Saltava ribelle, sciancata. Sua madre cercava di farla somigliare alle altre, alle bambine italiane nate in Italia. Angelina si guardava intorno. Anche lei avrebbe voluto somigliare a qualcosa, a qualcuno.

Cercava un punto fermo nel cielo. Una stella araba che magari l'aveva seguita.

Fuori dai vetri della classe non c'erano più palme e uccelli colorati. Solo intonaco plumbeo, gru dell'edilizia popolare.

A scuola nessuno l'avvicinava. Si conoscevano già tutti. Le guardavano le gambe senza calze. Angelina portava i sandali fino a natale, non aveva mai freddo ai piedi.

Nessuno sapeva nulla di Tripoli. Anche i professori la guardavano come una straniera, da lontano.

I compagni la chiamavano l'Africana. *Puzzi di cammello*, le dicevano. Era una scuola di periferia, di gente degradata che non sapeva avvicinarsi al prossimo se non malamente. Come razze diverse nella savana. Lo stesso passo in circolo delle iene quando strisciano verso la loro fame piena di paura. Angelina cercò di adattarsi. Fu esclusa naturalmente, senza vera cattiveria.

Fece della sua alienazione un'avventura.

Inventava, raccontava di leoni, di bambini sbranati, di malefici tuareg. Tripoli era un posto temibile dove lei era sopravvissuta grazie a mille astuzie. Guadagnò un po' di rispetto.

Era la lingua a dividerli. Lei non conosceva il dialetto siciliano, soltanto l'italiano infiorettato della scuola italiana di Tripoli.

Tornava a casa sola. E il pezzo di strada era davvero lungo tra quel cemento e quella puzza di mare scadente, senza un soffio buono d'asfodelo o di carrubo, senza un'anima amica.

Pensava ad Alì. Al suo cuore, al coltello per le ostriche che portava in tasca. Un giorno l'avrebbe raggiunta, l'avrebbe sposata. Sarebbero tornati a Tripoli. Sposando un arabo poteva farlo. Alì sarebbe stato ricco, era intelligente e coraggioso. Aveva tredici anni e già un bel gruzzolo di dinari da parte. Avrebbero ricomprato la cereria. Sua madre avrebbe ricominciato a cantare davanti a quella pasta color silenzio, suo padre ad attorcigliare candele per il ramadan e per natale.

Pensava soltanto a quello. Riportare la sua vita a quel punto.

Nel punto dove si era interrotta.

Si trattava di unire due lembi di terra, due lembi di tempo.

In mezzo c'era il mare.

Si metteva i fichi aperti sugli occhi per ricordarsi quel sapore di dolce e di grumi. Vedeva rosso attraverso quei semi. Cercava il cuore del suo mondo lasciato.

Ogni volta che entrava in mare nuotava verso il largo.

Cresceva, si portava i libri sulla spiaggia nera, mineraria.

Si infilava nel mare per ore. Nuotava fino al silenzio, dove niente e nessuno poteva raggiungerla. Si ricordava il modo che aveva Alì di nuotare, come un gabbiano che annega.

Guardava indietro la riva, quella città industriale, senza tramonto. Sembrava il disegno della morte, del mondo dopo la fine del mondo. Nessuna voce, solo fumo di ciminiere.

Si immergeva nel fondo, attraversava senza timore i banchi di alghe, funebri e viscide come braccia sepolte. Aveva lunghe pinne blu con fiamme arancioni. Pensava di raggiungere Tripoli a nuoto. Di uscire metà pesce e metà donna, come nella favola della sirena, di restare intorno alla città dei carrubi e della calce a cantare il suo canto clandestino.

Vito guarda il mare, quello bello dell'isola, turchino come in Africa, la costa con le sue insenature di muschi marini, come braccioli di una grande poltrona di velluto verde posta sull'acqua per un gigante che scruta l'orizzonte e organizza il mondo, i suoi flussi.

Vito c'ha pensato qualche volta al gigante che organizza il mondo. Si è chiesto se è fatto di persone, tante persone una sull'altra. E se lui sarà una di quelle persone minuscole ma decisive.

È quello che un ragazzo dovrebbe sperare, partecipare all'organizzazione del mondo. Lui è sempre stato uno studente in fuga, e non solo dalla scuola. Da ogni forma di apprendimento.

Abbassa la testa. Si vergogna di queste ambizioni improvvise. Non farà niente di buono, di rimarchevole. È più facile che accada così, che la sua vita passi inosservata. Il sole vacilla all'orizzonte paludoso di caldo. Vito sente il peso del suo destino in quella palude, gli cammina davanti mollemente. Dovrebbe afferrarlo. È questo che dovrebbe fare? Fare un salto. Ma come fai a sapere che destino ti aspetta? Nessuno ti ha chiuso nella busta la risposta.

Perché non si butta in mare e si fa un bel bagno? Quest'anno l'acqua non gli va.

Sua madre gli ha raccontato di quei bagni infiniti durante l'adolescenza. Era l'unico luogo amico, l'unico che avesse un sapore e un odore conosciuti.

Dice che il mare la salvò. Poteva ucciderla, perché più di una volta lei nuotò fino al buio senza risparmio e tornò a riva nel mare nero con il corpo che sbatteva di ipotermia e non bastavano dieci coperte a farlo smettere.

Ma senza mare lei non avrebbe saputo davvero dove andare a digerire il vuoto.

Vito guarda il mare.

Sua madre non si bagna più. Certe volte galleggia sull'acqua, poi si ritira, l'asciugamano intorno al ventre, il costume intero.

Sono gli unici bagni che fa, quelli di una morta che guarda il cielo. Dice che pensa, che sente la superficie che s'allarga con lei sopra. È una bella sensazione, dice.

Poi si adattò al nuovo mondo. Andò al liceo, fece l'amore la prima volta. Si mise la spirale e si dimenticò di Alì e dell'infanzia araba. Era la fine degli anni settanta. Indossò la divisa scalcinata di quella insurrezione, pullover larghi, zoccoli neri. La sacca di corda piena di libri, il segno della donna sulla fronte. Durante le manifestazioni studentesche urlava come una forsennata. La faccia da scimmia scacciata, i pugni chiusi. Finalmente la sua rabbia trovava la ribalta di un'intera generazione di ragazzi.

E non sopportò più il confino dei genitori, quel tracimare ricordi tripolini. C'era un mondo che andava avanti, e che lei avrebbe attraversato, per cercare di renderlo migliore. C'erano ingiustizie sociali, morti sul lavoro, stragi di innocenti in tutto il mondo. Non esisteva soltanto la loro ferita.

Si creò quel muro.

Non sopportava più l'odore di quella casa imbavagliata di nostalgia. Gente sconfitta che non la smetteva di recriminare il maltolto. Suo padre che ritagliava dai giornali tutti gli articoli sulla Libia, sulla loro avventura decadente.

Avevano dei parenti a Catania, andavano da loro un paio di volte l'anno. Angelina aveva fatto amicizia con i cugini. Santa e Antonio sorridevano, mangiavano le cassatine al limone, ma sembravano due deportati. Fingevano di parlare d'altro. Ma non erano interessati. Si mettevano vicini zitti, lei con la borsa sulle gambe, lui con la mano in tasca a far scivolare monete da dieci lire. Non vedevano l'ora di andarsene.

Volevano tornare al loro confino. Lì dove erano liberi di lamentarsi, di rimpiangere eternamente.

Angelina cominciò a fuggire, a sbattere la porta.

Intanto studiava. Adesso conosceva la vera storia del colonialismo italiano. Loro erano stati deportati, esportati insieme alle colonne romane, alle aquile e alle fiamme di quell'impero agonizzante.

Antonio era un moderato, votava per i repubblicani di La Malfa.

Però c'era una colpa pregressa. Dietro non c'era solo la sabbia finissima, quei paesaggi infinitamente puri di dune e oasi.

C'erano stati i tribunali volanti, aerei che atterravano nel deserto e dopo processi sommari uccidevano a mucchi. C'era stato quell'albero di natale sull'«Avanti!», invece che palline e festoni, beduini impiccati.

Vito guarda il mare.

Una volta sua madre glielo ha detto. Sotto il piede di ogni civiltà occidentale c'è una piaga, una colpa collettiva.

La madre non ama chi si professa innocente.

È di quelle persone che vogliono farsi carico delle cose. Vito pensa che sia una forma di presunzione.

Angelina dice che lei non è innocente. Dice che nessun popolo che ha colonizzato un altro popolo è innocente.

Dice che non vuole più nuotare nel mare dove i barconi affondano.

Non c'è niente di peggio che una vecchia dinamitarda. Continua a depositare micce nei tuoi pensieri.

Non c'è niente di peggio che una madre atipica. Una che non somiglia a nessuna madre, una che non porta mai le scarpe chiuse, che ha una borsa senza niente dentro, le sigarette, le chiavi di casa, dieci euro. Un telefonino che non usa mai. Una borsa senza miracoli come la sua vita.

Un giorno Vito se ne andrà da lei. Hanno vissuto loro due da soli. La luce accesa in casa era di lei, di nessun altro. I libri aperti sul divano. Come un'eterna studentessa. Da quando ha fatto cinquant'anni s'è rimpicciolita. È lui che le dice tieniti su, non t'ingobbire. È lui che le dice non fumare.

Allora lei scuote le spalle, dice che anche Falcone e Borsellino fumavano e non sono morti di quello.

Dice spesso cose così, assurde, che restano a parlare nel silenzio.

Che raccontano la sua visione del mondo, amara eppure viva.

Un giorno lui se ne andrà. Lei non sembra aver paura di quel giorno. Anzi, le piacerebbe che lui se ne andasse a studiare all'estero.

Non le piace più l'Italia. Eppure continua ad insegnare italiano ai ragazzini delle medie, senza ammalarsi un giorno.

I suoi vecchi studenti la vengono a trovare, la stringono, affogano addosso a lei. Lei gli prepara il caffè, li guarda cresciuti.

Da piccolo quando facevano la traversata per raggiungere l'isola, Vito aveva mal di mare. Diventava verdastro. Angelina gli teneva la fronte con una delle sue mani sempre fresche. Gli diceva di trovare un punto fisso e di non lasciarlo mai con gli occhi.

Se ci ripensa Vito può sentire di nuovo quel malessere, lo stomaco che sale, si rovescia, come un sacchetto di nylon sbattuto dalla risacca. Può sentire ancora quella mano fresca che lo sorreggeva e gli indicava il punto fisso da guardare.

Cerca un punto fisso all'orizzonte.

Qualcosa che lo aiuterà a superare quell'angoscia che ora sale, dal nulla, la mattina, appena apre gli occhi e il primo pensiero è: che scendo a fare dal letto?

Vito guarda il mare. Come una rete che sbatte e porta indietro qualcosa. Pensa a sua madre. Ha avuto un cancro al seno. Si è operata ed è tornata a casa, senza conseguenze. Non ha mai cambiato faccia. Vito non è stato gentile, è stato sgarbato. Le ha strappato il pacchetto di sigarette, le ha fatte a pezzetti. Angelina gli ha morso la mano.

Chissà chi si crede di essere lei.

Poi il mare di Angelina si era chiuso.

Si era sposata, un siciliano normanno, biondo con le efelidi. Un esperto di diritto civile che difendeva puttane e minori della zona degradata di San Berillo. Angelina aveva cominciato con le supplenze. Era nato Vito. Si era separata. L'ex marito adesso aiutava i catanesi ricchi a divorziare bene.

E un giorno, all'improvviso, il veto era caduto. Se avessero voluto avrebbero potuto tornare a Tripoli con un semplice visto come turisti qualsiasi.

Il 7 ottobre, il Giorno della Vendetta che festeggiava la cacciata degli assassini italiani dalla Jamahiriyya del rais, nottetempo era stato ribattezzato il Giorno dell'Amicizia. Adesso Gheddafi era amico di Berlusconi e dell'Italia. Veniva in visita con le sue amazzoni e le sue babbucce di raso. Champagne sotto la tenda beduina. Del terrorismo, degli aerei saltati, nessuna parola più. Era stato il primo governante arabo a condannare l'attacco alle Torri Gemelle. L'attore dai mille volti adesso cercava un nuovo ruolo da mediatore nel Mediterraneo. Angelina aveva riso: *spera nel Nobel per la pace.*

Mentre pulisce broccoletti nonna Santa sussurra *la storia è un millepiedi e ogni piede tira da una parte diversa, e in mezzo c'è il corpo nostro.*
Nonno Antonio ormai era morto senza rivedere Tripoli, ma sognandola. Sognando un muro bianco, il caffè di corso Sicilia dove andava a giocare a biliardo. S'era fatto portare un tè alla menta, quello finto del supermercato.

– Mamma, io ci voglio andare.
Era stato Vito a trascinarla indietro.
Era stanco di quella storia rotta.
Così erano tornati Angelina, sua madre e Vito che non c'era mai stato.
Si era fatto un giro su Google Earth. Aveva visto Tripoli col mouse.
Angelina non s'era avvicinata al computer.
Aveva avuto per giorni quella faccia, insaccata nelle spalle, assente, paralizzata dai pensieri.
Era nervosa, carne in gabbia. Metteva e toglieva cose dalla borsa. Parlava solo del clima che avrebbero trovato, del disinfettante intestinale che era bene portarsi in caso di cacarella da cumino.
Chissà quanto aveva aspettato quel momento e adesso che era arrivato sembrava disinteressata, sbrigativa come una che deve fare un piccolo intervento chirurgico rimandato tante volte ma necessario.

Sì, la stessa calma agitata di quando era andata in gita all'ospedale per togliersi il nodulo alla mammella ed era rimasta sulla lettiga vestita fino all'ultimo, senza decidersi a cambiarsi, a infilarsi la vestaglia da ammalata.

La grinta autistica di chi si batte sola con se stessa e non cambia muro.

Alla fine era partita in ciabatte come una che va al mare per una giornata.

Nonna Santa sembrava una bambina il giorno delle cannalore di Sant'Agata, un vestito bianco, le scarpe della farmacia nuove.

Avevano preso quel volo Libyan Airlines.

La nonna s'era affacciata nell'oblò sporco a scrutare sotto.

Era la prima volta che lo guardavano dal cielo *quel* mare. Senza sentirne il sapore, gli schizzi, l'angoscia. Senza paura d'affogare.

Era strano quello stallo, quella cabina pressurizzata che attraversava immobile il mare della loro vita.

La prima cosa che videro dall'alto furono i campi coltivati dagli italiani nel deserto intorno a Tripoli, una geometria di appezzamenti ordinati. Un docile disegno. Quello era stato il lascito migliore. Il lavoro di migliaia di braccia. I campi di agrumi, di ulivi, i muri di agavi per difendersi dall'orizzonte mobile delle dune.

Non avevano bagagli eppure non sembravano voler uscire dall'aeroporto. Si chiusero in bagno. La nonna aveva la vescica gonfia, la madre si sciacquò la faccia, uscì con la maglietta bagnata, i capelli incollati alle tempie.

Vito si accorse che era invecchiata. Fu un pensiero che gli diede dolore. Poi sarebbe tornata ad essere giovane, ma in quel momento lui vide cosa sarebbe diventata.

L'aria era quella del mare, delle città che si srotolano sulla costa araba, piatte, strofinate di vento che entra e esce. Le costruzioni filiformi dei minareti, i palazzi tra le palme secolari. Vito era contento della vacanza. Presero un taxi. Si avvertiva la ricchezza del petrolio. Strade a più corsie di asfalto fendevano il deserto, Toyota luccicanti guidavano con arroganza, facevano inversione a U, tagliavano le rotonde nel senso opposto, come niente fosse.

Il taxi si fermò sul lungomare dei Bastioni.

Nonna Santa tese il collo, fece quell'espressione di capogiro, s'allungò come un uccello grigio. La figlia l'aiutò a scendere dai sedili incollati di sudore.

Sembravano due sbarcate da un'astronave. I primi passi senza gravità. Come se neanche ce la facessero a poggiare i piedi.

Angelina s'accese una sigaretta, si mise gli occhialoni scuri. Diede una guardata sbieca, veloce come uno scippo. Poi cominciò ad avanzare. Come uno sminatore nel deserto.

Gli occhi immobili cercavano di catturare il più possibile nel campo visivo. Mettevano violentemente a fuoco i cambiamenti per non farsi ferire troppo.

La vecchia medina circondata dai nuovi palazzi. Le strade di polvere ricoperte. La Fiera Campionaria rimasta intatta. Le narici larghe, inalava. L'odore di Tripoli. Inseguiva il tempo mangiato come chi annusa una fuga di gas. E davvero sembrava dovesse esplodere qualcosa. S'era voltata verso il mare.

La sabbia... Dov'è la sabbia?

La loro spiaggia vicino al castello non c'era più. Il lungomare era un immenso parcheggio.

All'improvviso era scoppiata a ridere, come una demente.

Un gatto le era passato accanto. Una creatura guardinga e assorta come lei, le aveva fatto solletico a una gamba. Uno di quei gatti molli, forse in amore, che si fanno toccare, si rovesciano. Le orecchie mangiate e il manto rossiccio. Si era messo a strofinarsi sull'asfalto, le quattro zampe in cielo. Angelina si chinò a lisciargli il ventre chiaro. Il gatto accese il motore delle fusa. Lo prese in braccio. Lo baciò sul muso, come un neonato profumato. Sembrava non volerlo lasciare. Vito sorrise, anche a lui piacevano gli animali. Però c'era qualcosa di strano nella foga improvvisa di sua madre per quel randagio. Come se fosse tornata a Tripoli soltanto per ritrovare quel gatto malato, ferito. Quando si rialzò però sembrava guarita, si mise gli occhiali da sole sui capelli, guardò ad occhi nudi la città. Guardò Santa.

Ti ricordi mamma tutti quei gatti quando ce ne andammo...

La nonna s'era fatta tutto corso Sicilia senza dire una parola, traballando. S'era seduta sul marciapiede, sotto una palma, e Vito aveva pensato *ecco s'è seduta in fondo alla sua vita.* Aveva fatto un respiro profondo che il vento s'era ingoiato. Un respiro duro, appagato, come una lama che s'infila e raggiunge un organo vitale.

Molte costruzioni del centro storico erano intatte. Magari soltanto più piccole e sporche che nella memoria. Altre davvero cancellate, sommerse dagli strati delle architetture, delle vite. Il vecchio cimitero ebraico era scomparso, sepolto da stravaganti grattacieli a forma di armonica posati su palafitte di cemento.

Pigliamoci un gelato, una limonata.

La madre aveva preso per mano la nonna, storta e vecchia. E doveva essere la stessa immagine di quarant'anni prima, quando era la nonna a trascinare Angelina piccola verso la Cattedrale, verso la gelateria Polo Nord.

C'era caos per le strade, macchine, biciclette, venditori ambulanti. Eppure loro si muovevano in una geometria stretta. Adesso erano più allegre. Due cani da penna in cerca dell'odore, della traccia giusta del sangue. Le teste sollevate, scacciavano i rumori della città, i nuovi palazzi delle banche, degli alberghi per i convegni. Cercavano la loro città chiusa per troppo tempo. Scavalcavano sciare e zanghette di una topografia interiore. Le boutique erano rimaste abbastanza miserabili, manichini vecchi come gli abiti fuori moda. Nel mercato, accanto alle borse di cammello mucchi di finte Louis Vuitton. Effigi del rais a ogni angolo di strada.

Vito era stato a New York con suo padre l'anno prima. Un viaggio tra maschi, loro due e il figlio nuovo del padre, che a differenza di Vito era grasso e voleva sempre mangiare e bere e succhiare qualcosa. Però suonava il violino in una maniera abbastanza miracolosa. Avevano dormito in una stanza a tre letti davanti all'Hudson. Una di quelle vacanze brevi e sempre concitate, sempre a fotografare prima di aver visto.

Vito voleva andare a Ground Zero. Era la cosa che più lo interessava. Come tutti ricordava esattamente dove si trovava in quella giornata di settembre. Era solo con la nonna, sua madre aveva una riunione a scuola. I suoi genitori si erano appena separati. Aveva pensato alla fine del mondo. Aveva aspettato davanti alla finestra l'aereo che si sarebbe infilato nel loro palazzo.

A Ground Zero era rimasto a guardare l'immenso spazio nero del cantiere. C'erano molti turisti incollati alle reti di sicurezza, fotografavano, commentavano.

Vito non aveva cercato il cellulare, non aveva fatto un gesto. Aveva immaginato quel cratere nella città, ma vederlo era diverso.

Era davvero la fine del mondo. Tutto era stato abbastanza ripulito. Erano passati anni. Eppure tutto era lì. Nell'immenso vuoto nero.

Vito aveva visto le storie in tv, la gente che cercava di riconoscere un corpo in volo da un fotogramma. Di un uomo eternamente fermo a testa in giù.

Il bambino di suo padre faceva casino. Era suo fratello, d'accordo, ma lo era a metà, viveva con un'altra madre e avevano molti più soldi di loro.

Si era sentito incredibilmente solo.

Come quel giorno quando le torri cadute erano i suoi genitori.

Aveva trattenuto il malumore. Erano andati a Central Park, avevano camminato intorno al lago. Lui non poteva togliersi dagli occhi quel grande lago incendiato, pochi isolati più in là. La sera non aveva voluto giocare ai supereroi sul tavolo di Joe Allen con suo fratello. Il padre s'era arrabbiato con lui e lui s'era arrabbiato con il padre. Era rimasto tutta la notte con il computer appiccicato alle ginocchia davanti alla finestra con lo skyline mozzato delle due torri. Un tempo lui aveva avuto una famiglia. Adesso aveva solo incertezze e i soldi che suo padre gli passava ogni tanto, per l'iPod, per i vestiti. Aveva immaginato di spaccare il vetro che arrivava fino al pavimento e di buttarsi. Ma naturalmente doveva essere di quelli antisfondamento.

Quella sensazione gli era rimasta dentro, il puzzo di bruciato del suo Ground Zero. Se ne accorse a Tripoli. Perché dal niente, davanti a una strettoia odorosa di caffè e spezie piccanti che forse gli ricordava il puzzo multietnico di New York, s'accorse che l'affanno tornava su e usciva. Proprio come fumo che esala e se ne va, si disperde.

Tripoli era il loro livello zero, la loro memoria rasata al suolo, liquefatta.

Suo padre diceva che Angelina era rimasta un'esule. Una persona che aspetta di ripartire. E che anche il matrimonio era stato un soggiorno obbligato.

Suo padre è tagliato dal sarto come le sue giacche da avvocato, scivola sempre via dietro un fiume di parole che annacquano la vita, la diluiscono, fino a renderla poco incisiva. Sua madre è l'esatto opposto, è capace di essere soltanto se stessa. Non porta vestiti eleganti, non porta nemmeno il reggiseno. Vito adesso capisce il divorzio di suo padre. Certe volte anche lui si sente messo nel sacco. Angelina è capace di starsene zitta per giorni. Non lo rimprovera. Semplicemente fa tutto in silenzio come Gandhi. Lascia dei biglietti. È nata per essere una zitella. Una scalatrice solitaria.

Una volta in uno di quei biglietti c'era scritto: *rompere il muro emotivo*. Era un'indicazione a lui o a se stessa? Vito lo aveva accartocciato come gli altri.

In quei giorni a Tripoli Vito capì molto di lei e del suo mal d'Africa. Quel male minore, caduco, fatto di attacchi che poi se ne vanno come febbri malariche. E dopo restano quegli occhi di vetro feriti, la lingua dolorante, che non può parlare. Come se fosse stata morsa da dentro, da un animale nascosto. Adesso l'animale era uscito, sontuoso, vorace.

Vito guardò la madre muovere i fianchi e la pancia in un altro modo, come avesse preso il battito di quel mare lì, di quelle onde lunghe, filamentose. Del ragazzo che suonava l'oud accanto alla Fontana della Gazzella. Si tolse pure le ciabatte, le tenne in mano e s'annerì i talloni come un vanto.

Aveva fatto la biopsia alla città. Aveva analizzato le cose cattive che avevano rimpiazzato le cose belle scomparse, e adesso si godeva quella mutilazione. Come quando era guarita dal cancro.

La nonna avanzava come una morta vivente nel calvario di quella restituzione, troppo improvvisa per non essere violenta. Angelina la sorreggeva.

S'erano infilate nel setaccio dei ricordi prima intimidite, poi quasi pazze. Svolazzando tra rabbia e gioia. I capelli scomposti, gli occhi pieni di lampi, dove sembrava specchiarsi la paura di tutto quel tempo e di tutta la fame. Di tutti i pescherecci arrivati e di quelli affogati nelle tempeste. Occhi berberi, davvero. Che scavavano nella profondità delle cose rubate e mai restituite.

La nonna s'era fatta sempre più audace. Adesso non aveva più i dolori dell'artrosi, dei chiodi, era agile e furba. Si era ficcata in un mezzanino sotto i portici ottomani: *qui c'era la cucina di Ahmed e Concetta, ti ricordi? Le focacce di crema e melanzane... la carne speziata tra le foglie di vite...* Poi i vecchi palazzi fascisti... *e qui c'era il barbiere, ti ricordi? Andavi a cavallo con la figlia...*

La chiesa della Madonna della Guardia adesso era una palestra e la Cattedrale una moschea. Poi piazza Castello e piazza Italia unite per fare la grande piazza Verde del rais.

Avevano attraversato il ponte della ferrovia, verso le Case Operaie.

La loro zona era irriconoscibile. Il nuovo aveva lastricato il vecchio. Era davvero difficile orizzontarsi.

La casa doveva essere lì, dove adesso sorgeva un palazzo dalla struttura metallica. Anche il laboratorio delle candele era affogato da qualche parte lì sotto. La nonna si aggirò in trance, mormorando alle pietre, come un rabdomante che interroga la terra.

Vito pensò di nuovo a Ground Zero. A quello che sarebbe sorto lì. Al fatto che un giorno nessuno c'avrebbe più pensato.

Più tardi raggiunsero il cimitero di Hammangi. Sacchi di sporcizia languivano sotto il sole, reti da letto abbandonate. Adesso lì venivano sepolti i nuovi stranieri, cinesi, egiziani. Il vecchio cimitero cristiano aveva ripreso vita. La zona italiana era una specie di cantiere. Intere pareti di loculi sventrati, scaffali su scaffali come una biblioteca vuota. Passarono accanto alle tombe abbandonate di ignoti soldati e al mausoleo marmoreo di Italo Balbo, anch'esso vuoto.

Raggiunsero la zona dei bambini. Tutti quelli morti durante l'epidemia di gastroenterite e gli altri.

Nonna Santa si mise in cerca del suo neonato morto cinquant'anni prima. Inforcò gli occhiali, prese la scaletta per leggere i nomi più in alto. S'addentrò in ogni feritoia, frugando tra quei resti con dimestichezza, come al mercato quando sceglieva la verdura e la frutta spostando le cassette, rovistando sotto. Come fosse una pratica consueta. E invece tutto era così irreale. Buchi sporchi, abitati da topi. Le famiglie più ricche avevano potuto far rimpatriare i loro cari, loro non avevano avuto soldi per pretendere nulla. Ma, in vecchiaia, Santa non ricordava più così bene.

Da qualche parte si era aggiustata i souvenir libici. Adesso diceva che era stato un bene aver lasciato le spoglie del piccolo Vito a Tripoli dov'era nato e vissuto così poco.

Vito era inquieto. Un rutto duro gli salì e fece male in gola. Sperava per sua nonna, ma per quanto lo riguardava aveva davvero paura di leggere il suo nome su una lapide. Angelina vagò dalla parte opposta, i ricordi non coincidevano con quelli di sua madre. Si fermò, arrabbiata.

Che fai? Non sta lì!, la nonna urlava.

S'era messa a litigare con la figlia, fecero una discussione assurda in quel cimitero. Strillando come al mercato. Si rinfacciarono cose vecchie marcite, erano comiche. Erano esauste. Poi finì come al solito, Angelina prese sotto braccio la madre, assecondò quella marea.

Il cimitero cristiano era stato violato a più riprese, i resti umani usati per macabri rituali. Cercarono fino al buio. Da qualche parte c'era un grande albero, le cui radici si erano insinuate nelle tombe. Forse il neonato aveva nutrito quella pianta secolare. Fu il pensiero migliore che fecero.

Poi sua nonna pianse. Il suo viso anziano si mise a navigare e sembrava non volersi asciugare mai più. Fu una scena brutta per Vito. Pensò che era incredibilmente ingiusto guardare un vecchio piangere. Più ingiusto di qualsiasi cosa al mondo.

S'era portata un mazzo di girasoli, che durante il tragitto s'erano avvizziti. Non sapeva più che farsene. Si piegò e depositò in un canto quello che era rimasto, un ciuffo di occhi giallognoli che sembravano estirpati a logori pupazzi.

Prima di rientrare in albergo girovagarono nel suq. I battitori del rame, l'henné rosso, i datteri neri, le droghe. Adesso erano davvero anime strappate. Angelina si lasciava trascinare dalla folla, sbattuta come uno straccio, colorata d'un velo blu che s'era comprata per entrare nella moschea Dorghut.

Solo allora Vito aveva capito cosa intendesse suo nonno Antonio quando diceva *la storia dell'uomo è la storia della sua fame*. Di affamati che si spostano. È la fame dei poveri, dei coloni, dei profughi. È la fame avida dei potenti.

Vito si era abbuffato di couscous speziato.

Il giorno dopo reclutarono una giovane guida, Namek, uno studente universitario che sembrava molto più giovane dei suoi ventidue anni. Per Vito fu un diversivo. Un ragazzo con il quale parlare. Namek era simpatico e un po' pazzo. Era appassionato d'arte e di arrampicate. Si misero in viaggio verso villaggi berberi e scavi archeologici, fino a Leptis Magna, fino al mare.

Passarono accanto alle cittadelle rurali italiane. Portici spalancati nel vuoto, edifici segnati di rosso per la demolizione, una stazione ferroviaria morta. La nonna disse *chi ti risarcisce di quello che ti hanno rubato? Avevamo uliveti e amici. Avevamo una storia.*

Solo prima di ripartire sua madre si era messa sulle tracce di Alì. Trovò l'albero della gomma sotto il quale s'incontravano, ridotto a un tronco vecchio e storto, malato di bolle dure e scure. Trovò la vecchia casa di mattoni farinosi fuori città.

Delle arnie delle api e del resto nessuna traccia, il luogo era abbandonato. Una porta di tavole marcite e divelte, inutilmente sbarrata da un chiavistello arrugginito. Si intravedeva un interno scuro come una stalla, chiazze di maioliche mancanti sulle pareti spaccate da cui filtrava la luce dell'esterno. Fichi d'india cresciuti ovunque e un tetto crollato che ormai era solo un riparo per gli uccelli.

Su uno spiazzo sabbioso alcuni bambini giocavano a pallone. Angelina interrogò una vecchia avvolta in un barracano di lana che incartava polvere da sparo per il Mawlid, il compleanno del profeta, seduta su un sedile da automobile in mezzo ai campi arsi.

Era la prima volta che Vito sentiva sua madre parlare arabo. Era una voce diversa dalla solita, sembrava uscire da un'altra gola. La vecchia scosse la testa, il vecchio apicoltore Gazel era morto da un pezzo. Alì abitava in centro, nella zona protetta.

Fu Namek a condurli fino a quel palazzo nella vecchia Tripoli ebraica. Ma non volle seguirli sotto gli archi, lungo le scale. Scosse la testa, disse che li avrebbe attesi nel bar con gli ombrelloni aperti dietro la Torre dell'Orologio.

C'era uno di quegli occhi metallici sulla porta scura, sentirono tramestare dall'interno e si capirono spiati. Angelina tossì, si aggiustò i capelli fissando lo spioncino. Poi la porta si aprì e una voce apparve dietro un pezzo di naso nello spiraglio dell'anta bloccata da una catenella.

La donna che li fece entrare era massiccia, un velo disordinato che doveva essersi girata velocemente intorno alla testa. Li guidò fino a un salone dai soffitti alti e dipinti. Due grandi porte finestre dalle ante socchiuse sulla strada. Dalla moschea accanto arrivava lo strillo del muezzin per la preghiera del mezzodì. L'arredo moderno e di cattivo gusto strideva con l'ambiente. Mobili plastificati, divani in pelle con enormi braccioli.

Vito e sua madre furono invitati a sedersi. Un'altra donna più giovane portò un vassoio di bibite gassate e colorate. Finta aranciata, finta coca-cola.

Aspettarono circa un'ora guardando lo schermo spento di un immenso televisore al plasma posato su un tavolino di vetro accanto a una pianta ornamentale. Dalla porta ogni tanto facevano capolino alcuni bambini di diverse età che non attraversavano mai la soglia.

Alla fine Alì arrivò. Era vestito elegantemente, ma non sembrava arrivare da fuori, e Vito non capì perché li avesse fatti attendere così a lungo. Era un bell'uomo, alto e senza un filo di grasso, con tutti i capelli e grandi baffi neri sotto gli occhiali. Indossava una sahariana e mocassini estivi color rame.

Tese la mano ad Angelina.

Non si sedette sui divani con loro ma su una sedia dalla spalliera alta e rigida, accavallò le gambe lunghe e filiformi.

Parlava un buon italiano.

Era di modi gentili ma fermi. Due rughe dure come tagli sulle guance scavate. Una voce suadente e fonda, impastata di malinconia. A un certo punto disse qualcosa in arabo che Vito non capì e sembrò davvero un richiamo.

Vito vide la madre rimpicciolirsi sul divano. Non riusciva a trovare la posizione adatta, sprofondava troppo, così doveva tenersi su in maniera innaturale.

Alì adesso non tamburellava più la mano, guardava Angelina dritta negli occhi. Ricordarono i vecchi tempi, i tuffi dalla piattaforma del castello.

Angelina non gli chiese perché non avesse mantenuto la promessa, d'altronde anche lei si era dimenticata di lui.

Ma forse mai del tutto.

Fu quello che Vito pensò, guardandola.

S'indispettì. Pensò che se Gheddafi li avesse lasciati crescere sulla stessa sponda lui non sarebbe mai nato, sua madre se ne sarebbe andata a spasso tra pozzi petroliferi e grattacieli nel deserto su una di quelle jeep color fango, gli occhi bistrati di kajal appresso a quell'arabo con la faccia di cuoio.

Aveva addosso un profumo violento, di sandalo e qualcos'altro. Che a Vito non piaceva affatto.

Doveva essere molto ricco. La casa aveva una strana atmosfera, forse perché la luce filtrava poco. Sembrava una sorta di mausoleo.

Quando ricordarono l'episodio delle api, Alì si alzò in piedi, allargò le braccia come allora, come uno spauracchio del deserto.

Angelina sorrise, tirò fuori una mano.

– Quante sono le dita?

Anche Alì sorrise, in un modo un po' triste però. Disse che adesso aveva buoni occhiali, con molte focali diverse nella stessa lente.

Si tolse gli occhiali, si stropicciò le occhiaie nelle ossa concave visibili come quelle di un teschio. Guardò Angelina.

– Adesso non posso più permettermi di non vedere lontano.

Aveva maniere affabili, lunghe mani gentili. Accavallava le gambe distrattamente, dimenticandosi un piede, quel mocassino senza tallone, color rame.

Eppure i suoi occhi erano fissi e penetranti. Somigliavano a quella casa immobile, senza un filo d'aria come un bunker.

Era ora di pranzo, così le due donne servirono un grosso piatto comune di *shorba*. La grassa era la prima moglie, la più giovane era l'ultima. Era vestita all'occidentale, con un abito blu, piuttosto brutto. Aveva un solitario grosso come un sasso all'anulare e fumava molte sigarette. Sembrava più triste della grassona velata, che invece aveva due occhi furbi, curiosi di tutto. Quando passava davanti al marito s'inchinava leggermente.

Angelina non chiese nulla di loro, si limitò a guardarle.

Alì disse che la seconda moglie era egiziana.

– Non ama la casa, vorrebbe viaggiare, ma io sono troppo impegnato.

Angelina disse che anche lei aveva divorziato, però non aveva altri mariti intorno. Alì sorrise. Ci fu una lunga pausa.

– Leggi ancora poesie?

Alì non rispose subito, annuì, disse che leggeva ancora molto, ma soltanto di politica. Lavorava per lo stato, era un servitore della Libia. La sua vita era dedicata a quello.

Angelina guardò il salone, i pavimenti con i mattoni smaltati a pennello, le lunghe finestre affacciate sul ballatoio.

– Mi pare di essere già stata qui...

Adesso Alì era pensieroso, forse stufo della visita. I suoi occhi sembravano due insetti stecchiti sotto il vetro degli occhiali.

Insistette che assaggiassero qualche cucchiaino di uno strano miele.

Angelina gli chiese se fosse il suo, delle sue arnie. Credeva fosse diventato un produttore di miele. Alì scosse la testa.

– È miele amaro della Cirenaica.

Guardò a lungo Vito.

– Ti piace?

A Vito non piaceva.

Il volto di Alì s'indurì, sorrise e uno degli ultimi denti era d'oro.

– Gli antenati del nostro *qa'id* morirono nei lager italiani della Cirenaica, lo sapevi?

Si alzò, disse che doveva andare.

Shukran, grazie.

Li accompagnò alla porta.

Soltanto più tardi, per strada, guardando le inferriate bianche e il cortile, Angelina si ricordò che quel palazzo una volta era abitato da italiani. Che forse quella era la casa di Renata, la sua amica ebrea di Padova.

Interrogò Namek mentre il cameriere serviva tè alla menta allontanando il becco della teiera dalle tazze piccolissime con quel gesto ampio e infallibile. La giovane guida si guardava intorno come se qualcuno potesse arrestarlo da un momento all'altro. Aveva paura di *un'antenna*, una spia. La piazza era deserta, battuta da una leggera brezza marina. Conosceva bene Alì, era un pezzo grosso dei Mukhabarat, i servizi segreti di Gheddafi. Conosceva la sua brigata, correvano a tutta velocità per le strade, terrorizzando la gente. Prelevavano i dissidenti dalle loro case all'alba. Ogni tanto in televisione facevano vedere la lista dei traditori e pezzi di interrogatorio per intimidire la gente. Durante le pause pubblicitarie picchiavano i dissidenti. Potevi vedere i loro occhi sempre più tristi, sempre più lontani. Dovevano confessare, fare i nomi degli altri. Poi venivano portati nella prigione di Abu Salim, oppure sepolti vivi nelle botole sotto la sabbia fuori città. Namek era berbero, aveva avuto diversi parenti perseguitati. Il rais odiava i berberi, non potevano parlare la loro lingua, scrivere il loro alfabeto. Molti non erano mai tornati. Costretti a ripetere *sono un topo schifoso, viva Mu'ammar viva Mu'ammar* durante le torture, fino ad impazzire, le studentesse violentate da miliziani ubriachi che avevano nelle tasche delle divise scorte di viagra e condom.

Angelina si alzò e scomparve per un pezzo.

Quando tornò la sua faccia sembrava storta, come se avesse sbattuto contro qualcosa che le aveva lasciato un segno addosso.

Vito ripensò a quel biglietto lasciato in cucina: *rompere il muro emotivo*.

Cosa c'era oltre quel muro?

Mare al mattino

Farid è rannicchiato addosso a sua madre sul barcone. Non si lamenta più, è disidratato. Le gambe sono piene di formiche, quelle che si arrampicavano sulle sue braccia, e lui rideva, adesso sono dentro. Camminano. Sono quelle le zampe della storia?

Jamila sente il peso del figlio che se ne va. Prima gli diceva dormi, ora cerca di tenerlo sveglio. Gli racconta una storia, quella di un bambino che diventerà grande. È una bugia come tutte le storie.

L'acqua è finita da un pezzo.

Le labbra del bambino sono creste rotte come il legno della barca. Jamila fissa quell'asola scura, deserta. Si china, fa scivolare un po' della sua saliva tra le labbra del figlio. Il mare ormai è una miniera chiusa sulle loro teste, la casa del diavolo. Gli abissi sono saliti in superficie. È stata disperata, atterrita. Ora aspetta soltanto il destino. L'ultima faccia della storia. La scruta, la cerca, la carne scavata dagli schizzi di sale, in un luogo dove non c'è più orizzonte. C'è solo mare. Il mare della salvezza che adesso è un cerchio di fuoco bagnato. Un cuore nero.

Ha messo via i soldi per quel viaggio, i dinari di Omar, gli euro e i dollari di nonno Mussa, carta stropicciata e sudata. Li ha consegnati insieme agli altri per quella barca che nessuno guida. Solo un occhio di plastica e taniche di gasolio che ormai sono quasi tutte vuote. Nessuno conosce il mare, in pochi resteranno a galla. Sono creature di sabbia.

Il ragazzo somalo delira, ha una malattia della pelle, pustole sanguinanti che non smette di grattarsi. È in preda alla febbre, si agita, sembra abitato da qualche spirito cattivo. Si è denudato, ed è brutto vedere un ragazzo nudo che cerca di scavalcare gli altri corpi. Gli altri sono stanchi di lui, vogliono buttarlo fuori. Strillano che i somali sono tutti pirati.

Il somalo sputa nel mare, urla che la sua malattia è colpa del mare, del fango bianco che galleggia sulle acque di Mogadiscio, colpa dei bidoni di scorie lasciati nel fondo dalle navi del mondo ricco. Adesso agita le braccia come se avesse un machete. Era il suo lavoro, tirare giù gli alberi, seppellirli e bruciarli nella sabbia per fare il carbone. Ride, dice che tutto morirà, che gli animali non hanno più alberi e pascolo. Colpa del carbone. Nessuno pensa al futuro, tutti pensano a sopravvivere oggi. E non importa se uccidi il tuo paese. I poveri non possono pensare al futuro. Ride, dice che hanno così fretta di venderlo il carbone dei loro alberi che lo mettono nei sacchi che ancora non si è spento dentro, e certe volte le navi prendono fuoco.

Ulula, si gratta, si rotola come carbone rovente. Solleva la pistola lanciarazzi, spara l'ultimo razzo. Stavolta sale nel cielo, incredibilmente alto, una traiettoria perfetta, un arco di gocce luminose.

Tutti guardano quel fuoco d'artificio. Tutti ringraziano quella manifestazione divina. Tutti si svegliano dalla premorte. Inneggiano al somalo incendiario. Qualcuno li vedrà. Una nave di militari vestiti di bianco verrà a salvarli, gli porgeranno mani con i guanti, piatti di leccornie, creme miracolose per l'herpes.

Restano a guardare il mare nel buio come calamari intorno a una luce.

Farid è sempre più leggero. Sembra un bambino di bambù, di legno bucato. Le gambe sono due canne che pencolano, in fondo i piedi sporchi. Jamila gli ha tolto i sandali, gli ha detto *muovi le dita*. È uno degli ultimi gesti che il bambino ha fatto, ha cercato di muovere quei piedini, di tenere in vita quei diti. Adesso il suo respiro odora di carbone, è un rantolo roco che proviene dal fondo. E sembra esalare da un corpo molto più grande e più vecchio. Forse il bambino è cresciuto durante il viaggio.

Jamila gli carezza la fronte e i capelli stecchiti dal mare, lo stringe. Farid ha gli occhi socchiusi. Jamila guarda quelle fessure bianche che si muovono dentro e la cercano. Adesso è tranquillo, come quando sta per addormentarsi e fa l'ultima lotta del giorno mentre le palpebre cadono.

È sempre stato un bambino tranquillo. Un piccolo uomo.

Jamila ricorda quando le chiedeva il permesso di fare pipì nel giardino, ormai era troppo tardi per raggiungere il bagno. Apriva le gambe e si prendeva il suo affarino, lei gli diceva di spostarsi un po' più in là, ma lui aveva paura del buio, di uscire dal cerchio di luce della lampadina.

Anche Omar ogni tanto pisciava in giardino. Jamila lo rimproverava, il caldo avrebbe portato il cattivo odore dentro casa. Omar rideva con i suoi denti bianchi che bucavano il buio. Spruzzavano vicini, il padre e il figlio, il grande e il piccolo. Facevano quel gesto da uomini che li univa. A volte incrociavano i loro getti, altre volte confrontavano le due buche bagnate nella sabbia.

Jamila non sa perché sta pensando a quella cosa così stupida.

Avrebbe tanti ricordi più importanti. Invece pensa a quei due zampilli di piscio nel suo giardino, a lei che urla *andate più lontano! Più lontano! I miei fiori finiranno per puzzare e seccarsi!*

Jamila è un insetto che si spegne. Il suo cuore è una lanterna che resiste. Per quanto ancora? Per illuminare la notte di Farid.

Un giorno gli ha legato al collo un sacchetto piccolo di pelle morbida come velluto, ha scacciato i fantasmi, ci ha soffiato dentro tutti i sogni migliori.

Quando ha visto il mare le è sembrato grande e bagnato, ma niente di più. Una terra facile, senza armi. Una benedizione. Non sapeva che fosse senza fine, che gridasse da tutte le parti. Sono giorni e notti che la sua faccia nera e muta sale e scende con le onde. Le mani sono raggrinzite come radici allo scoperto. Stringe il figlio, il piccolo dattero.

Farid a casa giocava con i pezzi delle antenne, i cavi avanzati al padre.

Jamila lo manderà a scuola in Italia. Ha degli amici al nord, cercherà di raggiungerli. Anche loro sono arrivati via mare, però con una barca più piccola e più veloce. Adesso stanno bene, hanno una lavanderia nella zona dei parrucchieri cinesi. All'inizio è stato terribile, dormivano nel parco, scappavano di continuo. Loro saranno trattati meglio. Non sono semplici clandestini, sono profughi, fuggono da una guerra. Avranno un permesso di soggiorno temporaneo. Chiederanno asilo. Lei potrà cercarsi un lavoro, imparare l'italiano ai corsi serali. Un giorno forse tornerà nella sua casa. Si siederà e guarderà la sua vita. Farid sarà un ragazzo quel giorno, il sedere sporgente e le spalle strette come suo padre. Lo stesso sorriso di pesco. Sarà bravo con l'elettricità, come lui. Le stesse dita lunghe come cacciaviti.

La gazzella è sul mare. Non si sa come ma è lì. Ferma sulle lame blu delle onde, appoggiata regalmente come su una duna. Si volta a guardare Farid, le sue corna lucenti e anellate sono immobili.

È un piccolo animale coraggioso e altero, ha gambe sottili, muscoli scattanti e una striscia nera sul dorso che vibra quando il pericolo si avvicina. È il più meraviglioso ornamento del deserto. Ha un udito che buca il silenzio, occhi magici, cornee trasparenti e le sue famose pupille brillanti che vedono le aquile in cielo, i licaoni nascosti nei cespugli. Durante la siccità estiva quando tutti gli animali lasciano le regioni desertiche e le steppe bruciate, la gazzella rimane fedele ai suoi luoghi, e spesso la sua carne sfama i grandi carnivori che altrimenti morirebbero. Corre in maniera un po' buffa, quasi non tocca la sabbia. Lascia una scia di orme piccole e tonde come monete. È molto veloce, deve esserlo per sopravvivere. Ogni tanto si ferma a guardare indietro, come fanno i bambini, e questa curiosità può esserle letale. Azzannata alla gola, la gazzella non si dibatte, si lascia trascinare e uccidere. I poeti arabi hanno cantato per lei, hanno posto il suo sguardo innocente al culmine della bellezza del mondo.

Mentre muore, Farid sta pensando alla gazzella, ai suoi occhi che si avvicinavano così tanto ai suoi, alla sua bocca di denti piatti che mangiava dalla sua mano nel giardino dei pistacchi.

Mentre Farid muore, Jamila continua a stringerlo, a cantare. Non vuole che gli altri se ne accorgano, ormai sono cattivi. Ha visto i corpi buttati in mare. Ha superato la vita ed è ancora lì. Sa che tutto sommato è stato meglio così, che il suo cuore abbia retto. Il terrore ormai era solo quello, morire prima del bambino, lasciarselo cadere dalle braccia. Fargli sentire la grande solitudine del mare. Il cuore nero.
Una volta ha visto nel deserto un piccolo fennec

con la madre morta accanto, solo, circondato dal richiamo dei predatori notturni che si avvicinavano pacifici con i loro corpi striscianti.

Guarda il portafortuna attaccato al collo del figlio, non si muove più sulla sua gola che si è allungata come quella degli animali uccisi.

Nessuno approderà da quella barca. È l'ultimo goccio di gasolio e la rotta è persa. Una nave passerà lontana senza fermarsi.

Mani annaspano in superficie. Polmoni scoppiano senza rumore. Corpi calano verso il fondo, basculano come scimmie su perdute liane. Creature di sabbia gonfie di mare, sbrindellate dalla fame dei pesci.

Il ristorante in riva al mare è vuoto.

Solo un brigadiere che mangia un solo piatto di pasta 'ncasciata sotto il pergolato, legge un quotidiano.

Il proprietario del ristorante è uscito sulla spiaggia, il grembiale bianco, la maglietta con il nome. Guarda il mare con le mani sui fianchi.

Vito cammina sulla spiaggia.

C'è il corpo di una medusa accanto a un cellophane nero di catrame.

Il mare quest'anno è un muro di meduse.

Non è per quello che i turisti non verranno.

Vito cammina sulla spiaggia.

Li ha visti quei barconi carichi e puzzolenti come barattoli di sgombro. I ragazzi del Nord Africa, i reduci dalle guerre, dai campi profughi, e gli imbucati. Ha visto gli occhi allucinati, il passaggio dei bambini sopravvissuti, le crisi di ipotermia. Le coperte d'argento. Ha visto la paura del mare e la paura della terra.

Ha visto la forza di quei disperati, *io voglio lavorare, voglio lavorare. Voglio andare in Francia, in Europa del nord a lavorare.*

Ha visto la determinazione e la purezza. La bellezza degli occhi, il candore dei denti.

Ha visto il degrado, il porcile.

Le schiene dei ragazzi contro un muro, i militari che gli toglievano i lacci delle scarpe e le cinture.

Ha visto la gara degli aiuti, i panni trovati per i bambini, le collette dei poveri davvero incazzati, perché Gesù Cristo chiede sempre a loro.

Ha visto la saturazione, la paura delle epidemie. La gente protestare, bloccare i moli, gli approdi. E poi ricominciare, buttarsi nel mare in piena notte per tirare su quei disperati che nemmeno sanno nuotare.

E non sai davvero chi salvi, magari un avanzo di galera. Uno che ti ruberà il cellulare, che guiderà contromano ubriaco, che stuprerà una ragazza, un'infermiera che torna a casa dal turno di notte.

Ne ha sentiti di discorsi così Vito, affastellati, rozzi. La rabbia dei poveri contro gli altri poveri.

Salvare il tuo assassino, forse è questa la carità. Ma qui nessuno è un santo. E il mondo non dovrebbe avere bisogno di martiri, solo di una ripartizione migliore.

Angelina è alla finestra. Aspetta il figlio che non torna. Non importa. Sa che un giorno non tornerà più. Che quella è la vita.

Forse non è stata una brava madre. È stata una lucertola con la coda tagliata. Vito è stato la coda nuova. Ma come fai a sperare?

Il televisore è spento. È un televisore vecchio, che funziona male, soffre il vento, la pioggia. Dovrebbero cambiare televisore, cambiare antenna. Ma tanto quella è una casa di mare.

Angelina sta aspettando che la guerra finisca. Che l'attore dai mille volti venga catturato e processato.

Ha visto i bombardamenti della Nato. Il solito *non colpiremo obiettivi civili*. Hanno tirato giù anche la fabbrica che riforniva le bombole d'ossigeno all'ospedale.

Ha visto gli inganni, la piazza Verde piena di ribelli, finta, ricostruita dalle tv come un set.

Ha visto i guerriglieri con le bandane, i bambini con il mitra. Ha allungato un braccio verso il televisore come per fermarli.

La loro città distrutta, i muri crivellati, i buchi delle esplosioni. Le palme canute di detriti.

Sua madre Santa ha detto *ci stanno sparando addosso*.

Noi siamo tripolini, non siamo né qui né lì, siamo fermi in mare come quei ragazzi senza approdo.

Hanno visto i ribelli, gente comune. Ragazze senza il velo che parlano alla radio, giovani universitari con le mitragliatrici e le ciabatte da spiaggia.

Hanno visto la vecchia bandiera senussita.

Hanno visto i mercenari bambini, piccoli lealisti arruolati per pochi dinari, uccisi in ginocchio, sparati alla nuca come animali della savana.

Hanno visto la giornalista del telegiornale con il velo e la pistola.

Hanno visto gli sminatori a mani nude in pantaloncini corti, sudati come contadini.

Che fine faranno tutte queste armi, dopo?

Si è svegliata di notte con quel pensiero.

Passeranno a un'altra guerra. I gas nervino e i gas mostarda. L'arsenale del rais, le casse di legno cariche di mitra, di mine, di razzi, e sopra quella scritta surreale: *per il ministero dell'Agricoltura*.

Campi seminati a mine. È questo il raccolto.

Ogni notte un nuovo barcone, letame umano, fuoriusciti per fame, per guerra.

È una giornata di fine estate, di capperi fioriti e incanto. Tre giorni di burrasca e poi la tregua. La spiaggia è una discarica di legni, di avanzi di barche mai arrivate. Un museo di guerra sulla sabbia di graniglia. Vito fruga, recupera qualche pezzo.

Fa avanti e indietro dalla spiaggia, trascina tavole storte, frammenti di tappeti.

Si ferma a raccogliere un piccolo sacchetto di cuoio, sembra uno di quelli dove si custodiscono i gioielli. Vito fatica ad aprirlo, la cordicella è annodata con tanti giri stretti. Infila un dito, non c'è niente, una specie di lana bagnata e qualche perlina. Lo butta nello zaino insieme al resto.

Sull'isola c'è il cimitero degli ignoti. Un uomo buono ha raccolto i corpi restituiti dal mare, s'è strofinato la mentuccia sotto il naso per non sentire l'odore. Ha messo croci che qualcuno ha tolto, ma non importa, il Dio dei poveri è uno solo. E ogni giorno affoga con loro. Poi fa crescere l'aglio selvatico e il papavero delle spiagge tra i tumuli. Vito c'ha camminato in mezzo. È un luogo spoglio, battuto dal vento e senza dolore. Il mare pulisce tutto. Nessuna madre viene lì a piangere, non ci sono fiori. Solo piccoli pensieri di estranei, turisti che si avvicinano e lasciano un biglietto, un giocattolo. Vito si è seduto, ha immaginato il campo sottostante di ossa come lo scheletro di una barca rovesciata.

Ha pensato alle tartarughe. Vengono sulla spiaggia a depositare le uova. L'isola è un rifugio di covature marine. Tra poco le uova si apriranno. Vito ha visto quello spettacolo. Le piccole tartarughe che inseguono la marea, corrono verso il mare per salvarsi dalla morte.

A casa più tardi inchioda gli avanzi su un telaio. La pagina di un diario scritto in arabo, la manica di una camicia, il braccio di una bambola.

È lavoro senza un significato tangibile. Dettato da quella disperazione senza credito che lo affligge.

Trascorrerà così gli ultimi giorni di vacanza. Nella rimessa.

Deve decidersi su cosa fare della sua vita, se sprecarla o farla fruttare in qualche modo.

Sua madre gli ha detto *devi trovare un luogo dentro di te, intorno a te. Un luogo che ti corrisponda almeno in parte.*

Vito non sopporta quando lei fa così. Quando guarda il mare e non parla, sprofonda i pugni nelle tasche del cardigan.

Lui semplicemente non è in grado di prendere nessuna decisione, c'ha pensato ma ha scosso la testa. Forse resterà un allocco. Forse non è così intelligente. In ogni caso è lento, ha bisogno di tempo.

Vito trascina, incolla. Pezzi di quelle fughe interrotte. Non sa perché lo fa. Cerca un luogo. Vuole fermare qualcosa. Vite mai arrivate a destinazione.

Pensa agli occhi di sua madre posati sul mare che continuano a inseguire il filo perso del gomitolo che si avvolge intorno alla sua gola. Da quando è tornata da Tripoli ha cercato solo gioia. S'è messa a cucinare, crostate di fichi, pasta al forno, a sistemare ciuffi di ginestre nei vasi. Vuole lasciargli dei ricordi. La sensazione di una casa alle spalle dove tornare ad occhi chiusi, solo per respirare.

Angelina entra, gli chiede perché non è venuto per pranzo. Guarda l'immenso pannello di avanzi marini, legni inchiodati, jeans incollati.

Guarda quell'esplosione ferma.

– Ti sei messo a fare l'artista?

Vito scuote le spalle, ha le mani nere, la colla nei capelli. Si appoggia al muro, vicino alle casse di bottiglie vecchie, si strofina gli occhi con i polsi, dà un calcio alla polvere.

Non lascia avvicinare sua madre, la tiene a distanza nell'ombra. Parla a se stesso.

– Ho fermato un naufragio.

Vito ha raccolto la memoria. Di una tanica blu, di una scarpa.

Qualcuno ne avrà bisogno un giorno. Un giorno, un negro italiano avrà voglia di guardare indietro il mare dei suoi antenati e di trovare qualcosa. La traccia del passaggio. Come un ponte sospeso.

Angelina non può voltarsi a guardare suo figlio, davvero si vergogna. Sarebbe come spiarlo mentre fa l'amore.

Si avvicina al grande pannello azzurro.

Tocca quelle povere cose incrostate, reliquie marine. Lavate dal sale. Quel naufragio scolpito nel suo capanno degli attrezzi. Fa impressione, è come un sito archeologico intatto. Un mondo salvato.

Angelina guarda il mare di suo figlio. Quello che ha scelto della spiaggia, della storia. Uno spazio interiore nella risacca del mondo.

Guarda il sacchetto di cuoio inchiodato al centro.

Sa che è un portafortuna. Che le madri del Sahara li preparano di notte sotto la veglia delle stelle, li mettono al collo dei bambini per scacciare gli occhi cattivi della morte.

Accosta la testa, strofina il naso come un animale. Sente il rumore del mare, così simile a quello del sangue.

Poi era successo.

Che mese era? Ottobre, sempre ottobre. Il mese della cacciata. Il mese del suo compleanno. E Angelina davvero aveva pensato di non arrivarci viva a quel compleanno. Uno di quei pensieri che ti entrano dentro e ti mordono alle gambe. Aveva fatto una specie di testamento, ordinato le cose. Il conto in banca, le bollette pagate bene in vista.

Vito era partito. Forse era quello. Il sentimento della morte. *L'ho cresciuto, ora posso andarmene.* Peccato per gli errori. Tanti, eppure pochi se li metti in fila di notte, mentre svuoti un cassetto e fai ordine nella sciagura. Le fotografie dell'Africa e il resto, vecchi biglietti d'autobus, una busta di analisi, la calligrafia di un certo signore che per un certo periodo ha creduto di amarti.

Aveva scritto anche una lunga lettera a Vito. *Amore mio*, cominciava così. *Figlio mio*, cominciava così. Una di quelle lettere notturne che non vanno da nessuna parte, scavano insieme ai netturbini che passano sotto casa. Vanno troppo lontane. Dove non è giusto andare.

Una madre deve starsene un passo indietro.

S'era fumata sigarette fino al veleno quella notte. Al mattino aveva buttato il pacchetto rimasto e la lettera. Con una certa violenza.

S'era messa a pulire il frigorifero. Aveva liquidato ogni sua cosa indegna. Vecchi appunti, una confezione di preservativi scaduti che ancora conservava come emblema dell'amore sessuale, della sua possibilità. Assurda. Come tante cose assurde. I pensieri soprattutto. Come la scopa che graffiava in terrazzo.

Aveva messo fiori a lunga durata nei vasi. La casa pulita. Per lui, se tornava. Si era stesa sul letto con i piedi nudi. Per vedere come sarebbe stato il suo cadavere. Ed aveva aspettato tanto tempo.

Pensava solo a Vito. A lui accanto a lei.

S'era messa alla finestra.

Il compleanno era arrivato. Era viva. Naturalmente era stata solo l'ansia.

Vito da Londra aveva chiamato. Si sentiva il frastuono del bar italiano dove lavorava.

– Buon compleanno ma'.

Poi aveva richiamato dopo mezz'ora.

– Hai saputo ma'? L'hanno ammazzato.

Angelina aveva sentito i colpi. Una mitragliatrice intera sparata addosso.

– Chi? Hanno ammazzato chi?

Pensava a Vito a Londra. Agli attentati. Alla metropolitana, alla piazza affollata davanti alla Tate Gallery dove lui trascorreva le domeniche.

– Gheddafi, hanno ammazzato Gheddafi.

– Ah.

Era caduta su un tappeto di petali, leggera, immortale.

Era quello il delitto d'ottobre.

Non era andata su internet a vedersi il flagello, la fuga nel buco di cemento del topo insanguinato. Conosce la fine dei dittatori. Quando la carne diventa gomma da trascinare. L'insensatezza della rabbia postuma. Nessuna gioia, solo un macabro trofeo che sporca i vivi.

La memoria è calce sui marciapiedi del sangue.

Siamo liberi. Evviva evviva.

Indice